# ZWART ALS EBBENHOUT

# ZWART ALS EBBENHOUT

## SALLA SIMUKKA

vertaald door Sophie Kuiper

Clavis

Quote p. 23 uit het gedicht 'Prinsessan' (De prinses) van Edith Södergran

Quote p. 15, 40 en 41 uit 'Last Christmas' van Wham!

Quotes p. 46 uit 'Only if for a night' van Florence + the Machine

Quote p. 48 uit *Macbeth* van William Shakespeare. Vertaald door Hugo Claus (Amsterdam: De Bezige Bij/Antwerpen: Contact, 1979)

Quotes p. 83 uit 'Play Dead' van Björk

Quote p. 84 uit 'Pyhä Lucia' (oorspr. Napolitaanse melodie 'Santa Lucia'), vertaling van de Finse tekst van Erkki Ainamo

Quote p. 86 uit 'Sankta Lucia' (Santa Lucia), tekst van Sigrid Elmblad

Quote p. 104 uit 'Ei musta' van Sanna Kurki-Suonio

Quote p. 105 uit 'Johda mua' van Sanna Kurki-Suonio

Quotes p. 126 en 127 uit 'Breath of Life' van Florence + the Machine

# FILI
FINNISH LITERATURE EXCHANGE

Salla Simmuka
Zwart als ebbenhout
© 2014 Salla Simukka
© 2014 voor het Nederlandse taalgebied: Clavis Uitgeverij, Hasselt – Amsterdam – New York, met toestemming van Tammi Publishers en Elina Ahlback Literary Agency, Helsinki, Finland
Omslagontwerp: Studio Clavis
Vertaling uit het Fins: Sophie Kuiper
Oorspronkelijke titel: *Musta kuin eebenpuu*
Oorspronkelijke uitgever: Tammi Publishers, Korkeavuorenkatu 37, FI-00130 Helsinki, Finland
Trefw.: familiegeheim, zus, verlies, stalker, liefde
NUR 285
ISBN 978 90 448 2145 1
D/2014/4124/140

www.clavisbooks.com

*Voor iedereen die liefheeft.*
*Voor iedereen die alleen is.*

*Ik heb je bekeken.*

*Ik heb je bekeken zonder dat je het wist. Ik heb ieder gebaar en iedere uitdrukking van je geobserveerd. Jij dacht dat je onzichtbaar en onopvallend was, maar ik heb alles gezien wat je doet.*

*Niemand kent je beter dan ik. Ik ken je beter dan jij jezelf kent.*

*Ik weet alles van je.*

# 8 DECEMBER
## VRIJDAG

# 1

Lumikki werd wakker en zag twee ogen.

De ogen gloeiden. Ze waren heet. Ze brandden op haar huid en in haar gedachten. Deze ogen kende Lumikki maar al te goed. Lichtblauwe, met de tint van ijs en water, hemel en licht. Op dit moment glimlachten de ogen, hoewel de blik erin ernstig bleef. Een hand streelde over haar haar en gleed toen zacht liefkozend langs haar wang naar haar hals. Lumikki voelde hoe de begeerte opvlamde, eerst in haar buik, toen lager. Het verlangen was zo sterk dat ze niet goed wist of het een duizelingwekkend genot of een snijdende pijn was. Ze gaf zich meteen over. Vlam mocht alles met haar doen wat hij wilde. Ze stond open voor alles, werkelijk alles. Ze vertrouwde hem volledig en wist dat alles wat hij deed puur genot zou zijn. Ze deden alleen dingen die goed voelden, want ze wilden alleen het beste voor elkaar. Met minder namen ze geen genoegen.

Vlam liet zijn hand zachtjes op haar hals rusten en bleef naar haar kijken. Lumikki voelde al een vochtig kloppen tussen haar benen. Haar ademhaling versnelde. Haar halsslagader bonsde onder Vlams vingers. Hij boog zich naar haar toe en raakte met zijn lippen heel zachtjes de hare aan, ging met zijn tong plagerig langs haar onderlip, kuste haar nog niet echt. Lumikki moest zich inspannen om hem niet met beide handen vast te grijpen en zich gulzig vast te zuigen aan zijn lippen. Eindelijk drukte Vlam zijn mond zachtjes op de hare en kuste hij haar, precies zo onweerstaanbaar als alleen hij dat kon. Lumikki zou hebben gekreund, als ze in staat was geweest ook maar enig geluid uit te brengen. Ze sloot haar ogen en gaf zich over, zonder voorbehoud.

Plots veranderde de kus. Hij werd zachter, tederder, onderzoekender. Het was niet meer Vlams kus. Lumikki deed haar ogen open, en degene die haar had gekust, trok zich een beetje terug. Lumikki keek hem recht in de ogen.

Bruine, vriendelijke, vrolijke ogen.

De ogen van Sampsa.

'Zo, goedemorgen Doornroosje,' zei Sampsa, en hij boog zich voorover om haar opnieuw te zoenen.

'Wat een oude grap,' mompelde Lumikki, en ze strekte haar stijve armen.

'Minstens honderd jaar oud.'

Sampsa's lach trilde na tegen Lumikki's hals. Dat kietelde. Het voelde fijn.

'Eigenlijk nog veel ouder. Perrault schreef zijn versie in de zeventiende eeuw, en de gebroeders Grimm in de negentiende. Maar het verhaal zelf wordt al veel langer verteld. Wist je bijvoorbeeld dat de prins in een oudere versie Doornroosje helemaal niet wekte met een tedere kus, maar haar eigenlijk gewoon verkrachtte? En Doornroosje werd zelfs daar niet wakker van, dat gebeurde pas toen ze een tweeling baarde, die …'

Sampsa's hand was onder het dekbed gegleden en streelde nu Lumikki's dijen, tussen haar benen, steeds dichterbij. Lumikki moest steeds meer moeite doen om door te kunnen praten. Het verlangen uit haar droom had haar nog steeds in zijn greep.

'Bewaar je spreekbeurt maar voor school,' fluisterde Sampsa, en hij kuste haar nu dwingender.

En Lumikki dacht alleen nog maar aan Sampsa's lippen en vingers. Waarom zou ze ook aan iets anders denken? Of aan iemand anders?

Lumikki zat aan de keukentafel en keek naar Sampsa's rug, terwijl hij voor haar espresso maakte in de mokkapot, en tegelijkertijd op de andere kookplaat melk warm maakte voor zijn warme chocolademelk. Hij had een mooie, argeloze rug, gespierd, maar niet té. Zijn geruite, flanellen pyjamabroek hing op dat moment zo laag op zijn heupen, dat de twee kuiltjes tussen zijn billen en onderrug te zien waren. Lumikki bedwong de neiging om haar duimen in de kuiltjes te steken.

Sampsa's donkerbruine haar zat grappig in de war en hij neuriede een volksliedje, dat hij met zijn band Vainio net aan het instuderen was. Vainio speelde moderne volksmuziek, en Sampsa was de violist en solist van de band. Lumikki had hen een paar keer horen spelen op schoolfeesten. Niet echt haar muziek, maar vol vaart, vrolijkheid en energie. Onmiskenbaar goed binnen hun genre.

De natte sneeuw van begin december kletste tegen het keukenraam. Lumikki trok haar voeten op de stoel, sloeg haar armen om haar benen en legde haar kin op haar knieën. Sinds wanneer precies was het eigenlijk heel gewoon dat in de keuken van haar armzalige eenkamerflatje 's ochtends een schattige, halfnaakte jongen rondliep?

Alles was ongeveer tegelijk met het schooljaar begonnen, halverwege augustus. Alhoewel, niet meteen, want in de eerste dagen had iedereen – werkelijk iedereen – met Lumikki willen praten en willen horen hoe ze mensen uit een brandend huis had gered in Praag, waar een sekte had geprobeerd groepszelfmoord te plegen. Hoe voelde het om een heldin te zijn? Hoe voelde het om beroemd te zijn? Hoe voelde het om je eigen foto in alle kranten te zien? Uiteraard was het verhaal ook in Finland in het nieuws geweest, en meerdere kranten hadden Lumikki willen interviewen toen ze terug was van haar reis. Ze had geweigerd, natuurlijk.

Lumikki had de vragen van nieuwsgierige medeleerlingen summier beantwoord, tot ze doorkregen dat ze niet meer uit haar konden lospeuteren en het opgaven.

Toen was Sampsa in haar leven gekomen. Hij had vanaf het begin op dezelfde school gezeten als Lumikki. Door dezelfde gangen gelopen, in dezelfde klaslokalen gezeten. Lumikki had zijn naam wel gekend, maar hij was nooit meer voor haar geweest dan een gezicht tussen de anderen.

Sampsa was naast haar komen zitten in de kantine. Hij was een praatje komen maken voor de les begon en was met haar van school tot aan het plein in het centrum gelopen. Dat had hij allemaal gedaan alsof het de meest vanzelfsprekende zaak ter wereld was. Sampsa had zich niet aan Lumikki opgedrongen en haar niet lastiggevallen. Wanneer hij merkte dat een spontaan gesprek op zijn eind liep, probeerde hij het niet met alle geweld te rekken. Hij was niet beledigd door Lumikki's soms tamelijk botte en afwijzende antwoorden. Hij had gewoonweg alleen maar met haar gepraat, haar met een vriendelijke, open blik aangekeken. Hij had haar gezelschap gehouden en had steeds weten te vertrekken voor de sfeer ongemakkelijk zou worden.

Alles wat hij deed, had haar gezegd: ik verwacht niets van je. Ik hoop nergens op. Ik eis niets van je. Je mag helemaal jezelf zijn. Ik vind het gewoon fijn om tijd met je door te brengen. Mijn gevoel van eigenwaarde hangt er niet van af of je naar me glimlacht, maar áls je dat doet, vind ik dat helemaal niet erg.

Gaandeweg had Lumikki gemerkt dat ze ernaar uitkeek hem te zien. Ze kreeg een warm gevoel als hij naast haar zat en haar open en vrolijk in de ogen keek. Kleine, lichte vlinders waren gaan dansen in haar buik als Sampsa's hand de hare raakte.

Ze waren elkaar ook na schooltijd gaan zien. Ze maakten samen lange wandelingen, gingen koffiedrinken, bezochten concerten. Lumikki voelde zich als een veertje dat op een zachte bries zweefde en meedreef naar momenten en situaties die volkomen natuurlijk en juist bleken te voelen. Haar hand in Sampsa's hand. Een ietwat voorzichtige, maar warme eerste zoen op een donkere novemberavond. Zijn hand die haar haar en rug streelde, toen ze voor het eerst bij hem bleef slapen. Sampsa was geduldig geweest. Hij had niet geprobeerd haar over te halen tot iets waar ze nog niet aan toe was.

En toen, op een avond, was Lumikki eraan toe. En ze was helemaal niet verbaasd toen de lichamelijke intimiteit met Sampsa net zo goed, veilig en juist had gevoeld als al het andere met hem.

Begin december waren ze dan officieel een stelletje geworden. Lumikki had gedacht dat alles precies zo was zoals het moest zijn. Ze was eindelijk verliefd geworden op iemand anders. Ze was over het verlies van Vlam heen, al had dat lang geduurd, ruim een jaar. Vlam was op slag uit haar leven verdwenen toen hij in de zwaarste fase van zijn fysieke geslachtsveranderingsproces van meisje tot jongen was aangekomen. Hij was van mening geweest dat hij op dat moment niet met iemand samen kon zijn, niet eens met Lumikki, van wie hij veel hield. Zij had geen andere keus gehad dan Vlams besluit te accepteren, hoewel ze het nooit volledig had kunnen begrijpen.

Maar nu stond in haar keuken Sampsa, die warme chocolademelk maakte en een liedje neuriede en van wiens rug Lumikki elke wervel wel had willen zoenen.

Het leven was hier. Het leven was goed.

Het maakte zelfs niet uit dat de natte sneeuw zo hard op het venster hamerde dat het bijna leek of iemand door de ruit naar binnen wilde, barsten in het glas probeerde te krassen.

# 2

Er was eens een sleutel.

De sleutel was van metaal en paste gemakkelijk in je hand. Het oog was een kunstig bewerkt hartfiguur. De sleutel was gesmeed in 1898. In hetzelfde jaar was ook een klein kistje gemaakt, met een slot waarop de sleutel paste. Het oppervlak van de sleutel was met de jaren glad gesleten door de aanrakingen van vele mensen. Als allereerste was de sleutel vastgehouden door de smid die hem gesmeed had. Toen was hij in de handen van de eerste eigenaar van het kistje beland. Zij had zeven kinderen, die allemaal om beurten de sleutel hadden vastgehouden. Op dat moment was de sleutel al zo vaak aangeraakt dat het onmogelijk zou zijn geweest afzonderlijke vingerafdrukken te onderscheiden.

Meer dan vijftien jaar geleden was de sleutel voor het laatst aangeraakt. Toen hadden twee mensen hem vastgehad, om beurten, meerdere malen. In hun handen had hij veel zwaarder geleken dan hij eigenlijk was. En wanneer ze hem omdraaiden in het slot van het kistje, had dat gevoeld alsof iemand een gekarteld, scherp mes in hun hart omdraaide. De laatste keer dat de sleutel was aangeraakt, waren er zoute druppels op gevallen.

Toen was de sleutel verstopt. En daar had hij gelegen, verborgen, alleen, verlaten, jaar in jaar uit.

Maar de sleutel was niet vergeten. Er waren op deze wereld twee mensen die dagelijks aan de sleutel dachten. Hij stond in hun geheugen gegrift als een brandmerk, en ze voelden nog altijd het gloeiende ijzer. Als hun gedachtekracht de sleutel had kunnen laten stralen, had dat heldere, sprankelende licht van kilometers afstand laten zien waar de sleutel was verborgen.

Er was eens een sleutel die verstopt was.

Maar in sprookjes, net als in het echte leven, wil alles wat verstopt is uiteindelijk gevonden worden.

De sleutel wachtte tot hij weer in de hand genomen zou worden en het kistje open zou gaan. De sleutel had geduldig liggen wachten, onbeweeglijk, geruisloos.

Het was bijna tijd.

# 3

Dit was Sneeuwwitjes bos. De takken waren zwarte schaduwen, de zwarte schaduwen waren takken, de boomwortels kronkelden over de grond als slangen, tot ze onder de grond doken om daar een uitgebreid, dicht netwerk te vormen waarin ze om elkaar heen draaiden, waar de ondergrondse aderen van verschillende bomen zich samenvoegden, dezelfde levenssappen opzogen. Tussen de bomen en richting de hemel tekenden de takken hun eigen landkaart met zo veel lijnen dat het licht er maar moeilijk een weg doorheen kon vinden. De takken waren armen, penseelstreken en haren. Dunner dan dunne, fijne, dikke, mooie takken.

Het bos was een spel van schaduwen, een dans van schemerachtig licht en mist, gedempte fluisteringen en zuchten, ademtochten die rakelings langs je arm streken en je kippenvel bezorgden. De schaduwwezens van het bos, de droomdieren, de sluipende roofdieren, de schimmen die in het duister woonden, allemaal heetten ze Sneeuwwitje welkom. Ze was weer thuis.

Rond haar en in haar werd het zwart, het voelde vertrouwd en vreemd tegelijk. In het bos kon ze vrijer rennen. Dieper ademhalen. De linten die haar haar bijeenhielden, raakten los en haar vlechten vielen uiteen, de wind van het bos greep haar haar en deed ermee wat hij wilde. Takken en bladeren bleven hangen aan haar lokken. De stof van Sneeuwwitjes zijden jurk scheurde. Ze kreeg schrammen op haar armen. Ze rook de geur van aarde en rottende bladeren. Haar blik werd scherper en ze zag zelfs de kleinste bewegingen van de schaduwen. Aan haar handen kleefde bloed, dat almaar donkerder werd, ook het bloed werd zwart. Het zou geen zin hebben het proberen af te spoelen. Het zou altijd aan haar handen blijven zitten, want Sneeuwwitje was een moordenares, een roofdier.

Dit was Sneeuwwitjes bos. In deze duisternis was ruimte voor hartstocht en angst, wanhoop en vreugde. Deze lucht was een bron van kracht, waaruit ze haar longen vulde. In de schoot van het bos werd ze steeds completer. Ze werd meer zichzelf, vrijer. Sneeuwwitje ging op de wortels liggen, drukte haar handpalmen tegen de vochtige grond en wenste dat ze een met de wortels zou worden, ermee zou versmelten en zou doordringen in de grond, het hart van het bos kon vinden.

Om Sneeuwwitje heen zuchtte en klopte alles in het bos in het ritme van dezelfde hartslag. Haar hartslag.

'Ja, goed zo! Dat stukje met het hart is heel indrukwekkend en een perfecte afsluiting van deze scène.'

Tinka's stem bracht Lumikki weer terug in de werkelijkheid, en ze kwam een beetje overeind op het podium. Ze voelde zich alsof ze zojuist was ontwaakt uit een diepe slaap. Deze scène in het toneelstuk had elke keer dezelfde uitwerking op haar. Ze ging er zo volledig in op dat ze even vergat dat ze op het podium stond in de kleine zaal van de school, waar ze een toneelstuk aan het repeteren was dat de titel *De zwarte appel* had gekregen.

Lumikki was er nog altijd niet zeker van of het accepteren van de rol een goed idee was geweest. Het was Sampsa geweest die haar ertoe had overgehaald.

'Hé, een nieuwe interpretatie van Sneeuwwitje. Dat kun je niet aan je voorbij laten gaan. Die rol is je op het lijf geschreven,' had hij gezegd, met die vrolijke, bemoedigende glimlach, waar Lumikki bijna alles voor zou doen.

Ze was bereid geweest mee te werken aan het toneelstuk, al voelde het een tikje gênant, zelfingenomen en onaangenaam om een rol te spelen die in feite haar naam droeg – Lumikki betekende immers Sneeuwwitje in het Fins. Tinka, die het toneelstuk had geschreven en ook regisseerde, had Lumikki er al tijdens de eerste repetities van weten te overtuigen dat de tekst fantastisch was en de uitvoering uitstekend zou worden. Tinka was die herfst pas begonnen op de school voor muzisch-creatieve vorming, maar ze had genoeg lef en zelfkennis om leerlingen die twee jaar ouder waren dan zijzelf te regisseren.

Uiterlijk voldeed Tinka aan het stereotiepe beeld van de kunstzinnige leerling, met haar dagelijks wisselende, aparte kleding- en haarstijl. De ene dag kwam ze naar school in een tulen rok en met haar rode krullen in een hoge knot, een andere dag droeg ze stoere laarzen, een versleten spijkerbroek en een oversized capuchontrui, en was haar haar een warrig vogelnest, en een derde dag verscheen ze in kostuum, met haar haar onder een bolhoed. Afwisseling en wispelturigheid waren voor Tinka geen geforceerde poging om anders te zijn, en ze deed zich niet anders voor dan ze was. Ze was rechtdoorzee, down-to-earth en doelbewust op een manier die Lumikki kon waarderen.

*De zwarte appel* begon met de prins, die naar Sneeuwwitje in haar glazen kist keek en het mooie, onbeweeglijke meisje vurig liefhad. Toen werd de kist naar het kasteel van de prins vervoerd. Onderweg struikelde een van de dragers, de kist maakte een zwaai en het stukje vergiftigde appel schoot Sneeuwwitjes keel uit, waarop ze wakker werd. Tot zover volgde de plot dus het klassieke sprookje. Maar in Tinka's toneelstuk was de Sneeuwwitje die uit haar vergiftigingscoma ontwaakte niet verheugd over haar rol als bruid van de Prins. Ze was al gewend aan het bos, met zijn schaduwen en roofdieren. Ze wilde niet naar een gouden kasteel, waar ze een koningin zou zijn met bedienden, maar nauwelijks bewegingsvrijheid. De Prins aanbad alleen Sneeuwwitjes schoonheid en was niet geïnteresseerd in wat er in haar hoofd omging.

Tinka's toneelstuk had een duidelijk feministische tendens, maar was geen preek of pamflet. Het was een stuk met een sterke, onbehaaglijke sfeer. Niemand van de personages in *De zwarte appel* was echt een deugdzame held. Zelfs niet de Jager, die Sneeuwwitje probeerde te redden, want ook hij handelde in de eerste plaats vanuit zijn eigen begeerten en wensen.

Met één zintuig tegelijk keerde Lumikki terug naar de gewone, echte wereld om haar heen. Het kostte tijd om te bekomen van de slotscène. Het was een indrukwekkende, hypnotische scène: Sneeuwwitje bleef op de grond liggen. De lichten werden gedoofd. Het toneel en de zaal waren even in volledige duisternis gehuld, waarin een hartslag steeds harder weerklonk. Even daarvoor had Sneeuwwitje gehoord dat de Jager dood was, waarna ze de Prins had omgebracht met een zilveren kam met scherpe tanden. Toen was ze gevlucht uit het kasteel en teruggegaan naar haar geliefde bos, naar het gezelschap van de duisternis, de schaduwen en de beesten.

Toen ze de scène voor het eerst hadden gerepeteerd met alle rekwisieten en licht- en geluidseffecten, had daarna lange tijd niemand iets kunnen uitbrengen. Ze hadden elkaar alleen maar ongelovig aangekeken, alsof ze wilden vragen: voelden jullie het ook? Waren we eventjes heel ergens anders?

'Maandagavond is de volgende repetitie, zelfde tijd, zelfde plaats!' zei Tinka ter herinnering.

'Is het inmiddels niet al goed zo? Als we nou eens één avond vrij zouden hebben?' stelde Aleksi voor, die de Prins speelde.

Tinka wierp hem een verwijtende blik toe.

'We hebben nog twee weken voor de première en er is nog heel veel werk aan de winkel. En sommigen zouden maar beter hun replieken kunnen oefenen, zodat ze eindelijk in één keer goed gaan.'

Aleksi haalde zijn schouders op en beende de zaal uit.

Sampsa kwam Lumikki tegemoet en streelde haar rug.

'Wat was je weer goed.'

'Dank je,' antwoordde Lumikki terwijl ze de veters van haar legerschoenen vastknoopte.

Haar handen trilden nog steeds een beetje.

'Ik zie je overmorgen. Nu moet ik rennen, want ik ben al te laat, en anders ontploft mijn moeder.'

Sampsa gaf Lumikki een kus op haar voorhoofd, zwiepte zijn rugzak over zijn schouder en ging ervandoor. Onder de laatste paar scènes had hij de kleding van de Jager verruild voor zijn eigen kleren. Zijn familie had de gewoonte elke vrijdagavond samen te eten, waarbij ook Sampsa's grootouders en zijn tante uit Tampere waren uitgenodigd. Die familietraditie bestond al jaren, dus het was ondenkbaar dat Sampsa een keer zou overslaan. Hij had Lumikki al een paar keer meegevraagd, maar tot nu toe had ze steeds nee gezegd. Het idee dat iedereen haar keurend zou zitten aankijken sprak haar niet aan. Ze had beloofd een keer op een zondag bij Sampsa op de koffie te komen, als verder alleen zijn ouders en kleine zusje er waren. Dat was voor haar al een voldoende grote stap.

Het verlaten, donkere schoolgebouw was gehuld in een dromerige stilte, toen Lumikki en Tinka de trap af liepen naar de kapstokken. De lege gangen zagen er vreemd uit en ze hoorden de echo van hun stappen. Overdag wemelde het in die gangen van de leerlingen en oversteeg het aantal decibel ruimschoots het wettelijk toegestane niveau.

Tinka analyseerde hardop de scènes waaraan nog gewerkt moest worden, maar Lumikki kon zich niet concentreren op wat ze zei. Was het een vergissing geweest om mee te doen aan het toneelstuk? Het beviel haar niet dat ze zo sterk in haar rol opging en de werkelijkheid rond haar verdween. Ze speelde niet Sneeuwwitje die door het bos rende, ze wás haar. Ze voelde en rook het bloed aan haar handen. De hartslag was die van haarzelf. Lumikki was het niet gewend zo de controle over zichzelf te verliezen, en het beangstigde haar.

Tinka leek Lumikki's zwijgzaamheid op te merken, en ze trokken in stilte hun jas aan. Lumikki sloeg een grote, rode wollen sjaal om haar hals, die haar vroegere klasgenootje Elisa voor haar had gebreid en had opgestuurd. Ze hielden nog steeds contact. Lumikki had zich de vorige winter niet kunnen voorstellen dat Elisa een echte vriendin zou worden.

Buiten sneeuwde het grote, donzige vlokken, die smolten zodra ze de grond raakten. Het was uitgesloten dat ze toch nog een witte kerst zouden krijgen.

'Al ging het een en ander in deze repetitie nog niet goed, dat geldt niet voor jou. Jij bent echt top,' zei Tinka toen ze het schoolplein af liepen.

Toen stak ze haar hand op en ging een andere kant op dan Lumikki, die niet eens een half zinnig woord terug kon zeggen. De modder week onder haar laarzen toen ze doorliep richting de Hämestraat. Iets verderop op het voetpad zag ze de psychologieleraar en de wiskundeleraar, die ook nu pas van hun werk kwamen. Ook de leraren maakten in deze tijd van het jaar lange dagen met het nakijken van proefwerken en essays. Sommigen van hen wilden hun werk niet mee naar huis nemen, en bleven liever tot 's avonds op school. Het was best leuk om hen buiten de school te zien, terwijl ze met elkaar aan het kletsen en lachen waren. Maar Lumikki was blij dat ze ver genoeg achter hen liep om niets van het gesprek te kunnen oppikken. Hoe minder ze wist over het privéleven van leraren, hoe beter, vond ze.

De bakstenen, verlichte Alexanderkerk doemde statig en vertrouwd voor haar op. Het was zo donker dat de weinige oude grafzerken op het kerkhof vanaf het voetpad niet te zien waren. De grote sneeuwvlokken leken wel veren tegen de zwarte takken van de bomen. Van engelenvleugels afgevallen. Lumikki stak haar handen diep in haar jaszakken en versnelde haar pas.

In haar linkerzak knisperde iets vreemds, iets wat daar niet hoorde. Lumikki haalde het tevoorschijn. Het was een vier keer dubbelgevouwen, wit A4'tje. Ze maakte het vouw voor vouw open. Het was een korte, op de computer geschreven brief. Ze bleef staan onder een straatlantaarn om hem te lezen.

*Mijn liefste Lumikki,*

*Jouw Prins kent je niet. Niet in het toneelstuk, noch in het echte leven. Hij ziet alleen je buitenkant. Hij ziet maar een deel van je. Ik zie dieper, tot in je ziel.*

*Er kleeft bloed aan jouw handen, Lumikki. Dat weet je. Dat weet ik.*

*Ik zie elke beweging die je maakt.*

*Je zult gauw weer van mij horen. Maar onthoud goed: als je ie-mand over mijn berichten vertelt, al is het maar één iemand, zal er spoedig nog veel meer bloed vloeien. Dan zal niemand de pre-mière van het toneelstuk overleven.*

*Alle liefs,*
*Je Aanbidder, je Schaduw*

Lumikki hapte naar adem en keek op van de brief. Iets vaags bewoog zich aan de rand van haar blikveld. Iets zwarts.

Maar toen ze haar blik erop richtte, zag ze niets dan lange, naar-geestige schaduwen van de bomen.

# 4

*Alla kvällar lät prinsessan smeka sig.*
*Men den som smeker stillar blott sin egen hunger*
*och hennes längtan var en skygg mimosa,*
*en storögd saga inför verkligheten.*
*Nya smekningar fyllde hennes hjärta med bitter sötma*
*och hennes kropp med is, men hennes hjärta ville ännu mer.*
*Prinsessan kände kroppar, men hon sökte hjärtan;*
*hon hade aldrig sett ett annat hjärta än sitt eget.*

*(Alle avonden liet de prinses zich strelen.*
*Maar wie haar streelde, stilde slechts zijn eigen honger*
*en haar verlangen was een schuw kruidje-roer-mij-niet,*
*een grootogig sprookje in het licht van de werkelijkheid.*
*Nieuwe strelingen vulden haar hart met een bitter zoet*
*en haar lichaam met ijs, maar haar hart wilde meer.*
*De prinses voelde lichamen, maar zocht een hart;*
*ze had nooit een ander hart gezien dan het hare.)*

Lumikki zei de woorden van het gedicht 'De prinses' zachtjes op. Ze brachten haar tot rust. Ze had Edith Södergrans postuum uitgegeven dichtbundel *Het land dat niet bestaat* zo vaak gelezen dat ze in principe alle gedichten uit haar hoofd kende. Of in ieder geval haalden de eerste woorden de rest van de regels naar boven. Bekende gedichten waren als mantra's. De rustgevende werking ervan was erop gebaseerd dat de woorden in precies de juiste volgorde in elkaar overgleden, zonder verrassingen of veranderingen.

Lumikki had na het lezen van de brief niet rechtstreeks naar huis kunnen gaan. Was er echt iemand die iedere beweging van haar in de gaten hield? Ze had geprobeerd de angst door rationeel na te denken te laten verdwijnen. Hoogstwaarschijnlijk was de brief gewoon een wrede grap. Zwarte humor. Een kil spelletje. Op dit moment was ergens iemand aan het lachen om haar geschrokken reactie, en diegene zou haar gauw vertellen hoe het zat. Daar ben je mooi ingestonken.

Maar wat als de brief toch echt was? Als ze echt een gestoorde stalker had, die bovendien in staat was tot geweld? Lumikki kon het zich niet veroorloven haar schouders op te halen over de brief. Ze had in haar leven zo veel meegemaakt dat ze geen moment twijfelde aan het menselijk vermogen tot slechtheid. Ze had jarenlange, gewelddadige pesterijen op school moeten doorstaan en van dichtbij gezien tot welke wreedheden mensen in staat waren in de internationale drugshandel. De afgelopen zomer had ze in Praag gezien hoe een charismatische leider een religieuze gemeenschap manipuleerde door angst te zaaien, en hen naar een collectieve zelfmoord leidde.

Een geesteszieke stalker is net wat er in mijn leven nog ontbrak, dacht Lumikki met een bitter lachje.

De geluiden om haar heen waren aangenaam gedempt. Rustige stappen, het geritsel van bladzijden, gesprekken die op zachte toon werden gevoerd en waaruit geen woorden op te maken waren. Lumikki wist dat ze, als ze onderaan bij een van de bogen die tot het plafond reikten ging zitten, woord voor woord zou kunnen verstaan wat aan het andere uiteinde van de boog gezegd werd, al lag dat normaal gesproken buiten gehoorsafstand. Zo hadden de architecten Reima en Raili Pietilä de centrale bibliotheek van Tampere ontworpen. Maar Lumikki wilde nu niemands privégesprekken horen. Ze wilde beschut tussen de bekende, veilige bibliotheekgeluiden zitten, tussen de mensen, maar toch alleen, tot rust komen en de moed verzamelen om naar huis te gaan. Daarom was ze bij de Alexanderkerk afgeslagen naar de bibliotheek, die daarvandaan op maar een paar minuten lopen lag.

Het gewelfde gebouw had Lumikki altijd aangesproken, zowel vanbinnen als vanbuiten. Tussen de boekenkasten was er genoeg ruimte om te lopen, maar wie dat wilde, kon zich er ook tussen verstoppen. De bibliotheek had ronde leestafels en geheime hoekjes waar niemand je kwam storen.

Lumikki had Sampsa een sms'je willen sturen en hem willen vragen na zijn familiediner bij haar te komen slapen. Hoe laat het ook zou worden. Maar zoiets had ze nog nooit eerder gedaan, dus Sampsa zou vragen waarom. En dan zou ze moeten liegen, en ze wilde niet tegen hem liegen.

Nee, ze zou zich die avond en nacht in haar eentje moeten redden. Daarna zou ze zo snel mogelijk moeten uitzoeken wie de brief in haar jaszak had gestopt. Ook dat zou ze alleen moeten doen.

Lumikki had gedacht dat ze nu niet meer zo eenzaam zou zijn als vroeger. Ze had het dus toch mis gehad. Opeens voelde ze hoe een bekende leegte en eenzaamheid zich in haar uitbreidde. Altijd alleen, uiteindelijk. Lumikki staarde naar de dichtregels zonder de puf te hebben ze te lezen.

Op hetzelfde moment werd ze omgeven door de diepe, scherpe geur van naaldbos, terwijl een warme hand zacht langs haar nek streek.

'Edith Södergran. Is dat niet een beetje onze dichtbundel?'

Lumikki wist het al voor ze over haar schouder keek. Ze had het al geweten voor de stem en de woorden. Ze had het geweten door de geur en de aanraking.

Vlam.

Hij stond schuin achter haar. Glimlachend. Levensecht. Misschien zag hij er nog iets meer uit als een jongen dan anderhalf jaar geleden, zijn haar was korter en lichter, uit zijn houding sprak een nieuw soort kalmte en zelfverzekerdheid, maar verder was hij precies hetzelfde. Zijn ijsblauwe ogen waren dezelfde, en Lumikki verdronk er meteen in, alsof ze door een flinterdun ijslaagje was gebroken en het wak in was gedoken.

Een storm van gevoelens sloeg haar in het gezicht. Ze had zich in Vlams armen willen storten, zo dicht bij hem zijn als ze maar kon, alles over de brief willen vertellen en de angst en wat er in ruim een jaar tijd allemaal was gebeurd, over al haar verlangen en gemis, al haar dromen en zwarte gedachten, Vlam willen vragen haar te beschermen en te behoeden voor de eenzaamheid en het kwaad, hem meenemen naar haar huis en al zijn kleren uittrekken, haar eigen kleren uittrekken, ze door elkaar op de vloer van de hal laten vallen, hem kussen, kussen, kussen, iedere hongerige centimeter van haar huid tegen Vlams huid drukken, steeds opgewondener raken, meer en meer, zichzelf vergeten, de wereld vergeten, vergeten dat ze twee afzonderlijke wezens waren, want in elkaars armen waren ze een, zo naadloos met elkaar versmolten dat er geen grenzen waren, en Lumikki had willen branden, branden, branden, eventjes niets dan vuur zijn.

Lumikki slikte. Ze trilde. Ze kon geen woord uitbrengen.

'Leuk om je eindelijk weer eens te zien. Zullen we koffie gaan drinken of zo? Of heb je haast?' vroeg Vlam alsof het de normaalste zaak van de wereld was om zo'n praatje met haar te maken.

'Nee,' wist Lumikki uit te brengen.

'Nou, oké dan. Zullen we naar het café boven gaan?'

'Nee, ik bedoelde dat ik geen koffie met je ga drinken.'

Vlam keek Lumikki een beetje verbaasd aan, maar begon toen ondeugend te glimlachen.

'We kunnen natuurlijk ook iets anders doen.'

Lumikki zette met bevende handen de dichtbundel terug op de plank en zette haar muts op.

'Nee. Ik heb haast. Ik kan niet met je afspreken. Niet nu.'

Lumikki hoorde hoe de woorden schokkerig haar mond uitkwamen, alsof ze buiten adem was.

'Oké. Een andere keer dan. Je hebt vast nog steeds hetzelfde telefoonnummer? Ik bel of sms je.'

Vlams stem klonk warm en rustig.

Doe maar niet, had Lumikki moeten zeggen. Dat had ze willen zeggen. En toch ook niet.

'Nu moet ik ervandoor. Doei.'

Lumikki had de bibliotheek wel uit willen rennen, zo snel mogelijk zo ver mogelijk bij Vlam vandaan. Maar ze dwong zichzelf te lopen. Kordaat en doelbewust. Zonder achterom te kijken.

Pas buiten, in de frisse lucht, besefte ze dat ze natuurlijk had moeten zeggen dat ze een vriendje had.

Dat had ze niet gedaan omdat ze, rondzwemmend in het brandende ijswater van Vlams ogen, het even helemaal vergeten was.

*Ik hou van jou.*

*Vier woorden, die gemakkelijk uit te spreken zijn, maar moeilijk te menen. Ik meen ze. Ik adem ieder woord, en de woorden worden een deel van mij. Ik spreek ze uit tegen jou en zo worden ze ook een deel van jou. Mijn liefde verplaatst zich naar jou. Door mijn liefde straal je nog mooier dan gewoonlijk, nog sterker en schitterender.*

*Ik maak je helderder dan de helderste ster aan de nachtelijke hemel.*

*Je zult helemaal van mij zijn. Zoals het altijd al heeft moeten zijn. Want dat is jouw lotsbestemming. En die van mij.*

# 9 DECEMBER
## ZATERDAG

# 5

Zus, zus, zus, zus.

Het woord hamerde in Lumikki's hoofd, zoals tegenwoordig altijd als ze in Riihimäki bij haar ouders op bezoek was. Maar ook deze keer kreeg ze het weer niet over haar lippen. Haar moeder had voor de lunch geitenkaaslasagne gemaakt, een van Lumikki's lievelingsgerechten, maar vandaag smaakte het haar niet. Lumikki had het gevoel dat haar hele genotscentrum verdoofd of uitgeschakeld was. Voedsel was alleen maar noodzakelijke brandstof. Zelfs koffie smaakte haar niet meer.

Lumikki vermoedde dat het door de brief kwam. Ze was er nog altijd van overtuigd dat iemand gewoon een grap met haar had uitgehaald, maar toch zat de brief haar dwars, bleef hij zeuren ergens in haar achterhoofd. Hij maakte alle kleuren grauwer en hulde de wereld in mist, liet alle smaken verdwijnen. Als Lumikki er eenmaal achter was wie de brief had gestuurd, zou ze beschaafd maar meedogenloos wraak nemen.

Bij haar ouders had ze er hoe dan ook alleen maar aan kunnen denken dat ze nog steeds niet wist of ze echt ooit een zus had gehad. De herinneringen die de afgelopen zomer in Praag naar boven waren gekomen toen Zelenka met haar leugen Lumikki's geheugen had opgefrist, hadden bijzonder echt gevoeld. Ze was er volkomen zeker van geweest dat ze ooit een zus had gehad. Maar eenmaal terug in Finland was ze niet meer zo overtuigd. Ze was van plan geweest de vraag onverbloemd op tafel te gooien zodra ze weer thuis was, maar dat had ze niet gedaan.

Toen Lumikki haar ouders over Zelenka had verteld, had ze er niet bij vermeld dat Zelenka had beweerd haar zus te zijn. Lumikki had die herfst een paar mailtjes met haar gewisseld. Zelenka was zich op eigen houtje gaan verdiepen in wiskunde, scheikunde en biologie. Ze wilde toegelaten worden tot de opleiding geneeskunde en dokter worden. Ze had ook tussen neus en lippen door verteld dat ze nog steeds bij Jiři woonde, omdat ze allebei gemerkt hadden dat het samenwonen hun beviel. Jiři had een baan gekregen bij een lokale krant. Tussen de regels door begreep Lumikki dat Jiři, nadat ze samen Zelenka hadden gered uit een brandend huis, steeds meer om Zelenka was gaan geven. Ze was blij voor hen.

Soms schreef Zelenka dat ze haar hoe dan ook beschouwde als een zus. Zus was een woord dat Lumikki's hele hoofd vulde. Toch vermeed ze het hardop te zeggen.

Waarom? Was het niet makkelijker geweest om het gewoon ter sprake te brengen? Lumikki wist niet wat haar daarvan weerhield. Misschien kwam het door haar ouders, die zich zorgzaam en ernstig gedroegen sinds ze terug was uit Praag, en zich tegenwoordig zo warm en liefdevol opstelden. Uitzonderlijk aanhankelijk. Het leek Lumikki verkeerd om hen nu te gaan verhoren. Papa's reis naar Praag van jaren geleden was gewoon toeval geweest en had blijkbaar niets met het zusjesvraagstuk te maken gehad, en dus had Lumikki haar ouders daarover ook niet aan de tand gevoeld.

Als ze eerlijk was, genoot ze ook wel van de genegenheid. Die had ze niet op het spel willen zetten door iets ter sprake te brengen wat misschien alleen maar bestond in haar fantasie. Mensen konden immers schijnherinneringen hebben, als ze echt wilden of geloofden dat iets daadwerkelijk had plaatsgevonden.

De dagen van zwijgzaamheid waren weken geworden, de weken maanden. Opeens had Lumikki ingezien dat ze het onderwerp niet meer spontaan kon aansnijden. De vlaag van warmte was voorbij en ze hadden alle drie hun oude, vertrouwde rollen weer aangenomen, waarin ze spraken over algemene dingen, niet meer contact hadden dan strikt noodzakelijk om een normaal gezin te lijken. En ze probeerden zich niet te storen aan ongemakkelijke stiltes, waarvan er bijvoorbeeld tijdens zo'n zaterdagslunch veel waren.

'Wil je nog wat lasagne?' vroeg Lumikki's moeder, om de stilte te doorbreken.

'Nee, dank je,' antwoordde Lumikki. 'Mag ik wat oude foto's gaan bekijken?'

'Alweer?' vroeg haar vader verbaasd. 'De enige foto's die we hebben, heb je al gezien.'

'Ik wil kijken of ik er voor tekenen op school iets mee kan doen,' verduidelijkte Lumikki.

'Ik zal koffiezetten,' zei haar moeder, en ze begon net iets te vlug de tafel af te ruimen.

Lumikki zat met het fotoalbum op de bank in de woonkamer en sloeg langzaam de bladzijden om. Natuurlijk kende ze iedere foto uit haar hoofd. Ze had ze al vele malen bekeken, vooral de afgelopen herfst. Ze had geprobeerd daar de oplossing te vinden, een sleutel.

Er was de trouwfoto van haar ouders. Wat foto's genomen bij hun vakantiehuisje op Åland. Een paar onscherpe foto's van hun huis in Turku, waar ze woonden voor ze naar Riihimäki verhuisden toen Lumikki vier was. Ze kon zich het huis slechts vaag herinneren. Het was een idyllisch houten huis met twee verdiepingen in de wijk Port Arthur. Heel iets anders dan dit rijtjeshuis in Riihimäki. Ze vond het nogal vreemd dat ze naar een zoveel goedkopere woning waren verhuisd. Voor de prijs van een houten huis in Turku hadden ze in Riihimäki een nieuw, groot vrijstaand huis moeten kunnen krijgen. Blijkbaar waren er ook financiële zaken waarover Lumikki nooit iets was verteld.

'Waarom zijn we weggegaan uit Turku?' vroeg Lumikki.

Haar vader, die verdiept was in zijn krant, schrok op van haar vraag en fronste.

'Vanwege werk.'

Dat leek Lumikki een rare verklaring. Haar vader was altijd veel op reis voor zijn werk, en meestal gingen zijn reizen naar Helsinki. Haar moeder, die werkte in de bibliotheekbranche, had toch zeker makkelijker werk kunnen vinden in Turku dan in het kleinere Riihimäki. Maar Lumikki vroeg niet door.

Ze verbaasde zich wederom stilletjes over het geringe aantal foto's. Het was alsof er van ieder levensjaar van haar maar een paar foto's waren, en dan waren het niet eens erg goede. Niet dat Lumikki honderden of duizenden babyfoto's had willen zien, zoals mensen tegenwoordig alleen al tijdens het eerste jaar namen, maar toch was het raar dat er zo weinig foto's waren. Lumikki had bij leeftijdgenoten fotoalbums van hun jeugd gezien, en dat waren er altijd meer dan één, dikker bovendien. Misschien waren haar ouders nooit bijster geïnteresseerd geweest in fotografie. Of misschien hadden ze het niet belangrijk gevonden foto's van Lumikki te nemen.

Bij één foto bleef Lumikki langer hangen. Op die foto was ze zeven jaar. Ze stond op het schoolplein. Het was winter. Ze wist nog hoe haar moeder opeens een foto had willen nemen, nadat ze Lumikki naar school had gebracht.

'Lach nou een beetje!' had haar moeder haar aangespoord.

Op de foto keek Lumikki recht de camera in, ernstig, zonder een spoortje van een glimlach. Ze had eenvoudigweg geen enkele reden om te glimlachen op het schoolplein. Die winter was het pesten begonnen, en ze had een hekel gehad aan iedere schooldag. Nu keek ze naar de foto en zag achter de stuurse blik de huiveringwekkende angst.

Zo'n blik in haar ogen wilde Lumikki nooit meer. Toch wist ze dat ze hem nog steeds te vaak in de spiegel zag.

Ze sloeg het album dicht. Vandaag zou het haar niets nieuws vertellen. Het zou geen geheimen onthullen die verborgen lagen in het verleden.

Na de koffie vroeg Lumikki's moeder: 'Wil je nog naar de sauna?'

De vraag was eerder retorisch dan een echt aanbod. Het was een vraag die haar moeder hoorde te stellen.

'Nee, ik heb nog huiswerk,' antwoordde Lumikki.

Precies het antwoord dat van haar verwacht werd.

Toen ze naar het station liep, kwam Lumikki langs haar oude school. Altijd als ze het gebouw en het schoolplein zag, kreeg ze de smaak van ijzer in haar mond. Op die school waren het geweld en de onderdrukking op hun ergst geweest. Het slaan en het schreeuwen. Het buitensluiten. Alle leugens, waardoor Lumikki op de verkeerde tijd naar school kwam, de verkeerde gymspullen meebracht, het verkeerde huiswerk maakte. Ze had geprobeerd alert te zijn en alleen te geloven wat ze met eigen oren van de leraren hoorde, maar toch was ze vele malen om de tuin geleid. Het was niet moeilijk om zogenaamde officiële mededelingen van de school te fabriceren en anderen mee te trekken in het pesten.

Net zo weerzinwekkend was de herinnering aan hoe ze ten slotte tegen haar pesters, Anna-Sofia en Vanessa, in opstand was gekomen en hen fysiek had aangevallen.

De woede. Het verlies van de controle. Het verlangen om te doden.

Na afloop had Lumikki niet geweten wie beangstigender was geweest: de pesters of zijzelf. Alles waartoe ze zelf in staat zou zijn geweest en hoe het had gevoeld, toen ze iemand anders van het leven had willen beroven alleen maar om een einde te maken aan haar eigen hel. Lumikki was niet trots op haar gevoelens, maar ze probeerde ze ook niet te ontkennen. Daarom had ze willen leren zichzelf te beheersen en het hoofd koel te houden. Ze zou zich door niemand in een hoek laten drukken of op de kast laten jagen.

Dat probeerde ze in ieder geval als richtsnoer aan te houden. Al was het niet altijd even makkelijk dat te volgen.

Lumikki had maar heel weinig mooie herinneringen aan Riihimäki. Een daarvan was aan het theater, waar ze als negenjarige eens een voorstelling zag. Ze kon zich niet meer voor de geest halen om welk toneelstuk het ging, maar dat was ook niet belangrijk. Ze was dol geweest op de geur in de zaal, het wegstervende geroezemoes en dat korte ogenblik, als de lichten gedoofd waren, maar de voorstelling nog niet was begonnen. De spanning en verwachting, als alles nog mogelijk is.

Lumikki had op de eerste rij gezeten en haar hoofd in haar nek moeten leggen om het toneel goed te kunnen zien. De acteurs waren heel dichtbij geweest. Lumikki had hun meest subtiele gezichtsuitdrukkingen kunnen onderscheiden.

Ze herinnerde zich hoe een donkerharige actrice bijzonder licht en soepel over het podium had gedanst, gesprongen en gerend. De zoom van haar blauw-groene rok deinde op en neer als golven op zee. Toen ze een sprong naar de rand van het toneel maakte, zag Lumikki onder de rok heel even haar knie, waar een kniesteun omheen zat. Daarna was Lumikki het gezicht van de actrice beter gaan bestuderen, en ze had gemerkt dat achter haar innemende glimlach, uitbundige lachen en vloeiende woorden een zweem van pijn zat. Bij iedere sprong en ieder danspasje gleed een schaduw over haar gezicht, die zo licht was dat waarschijnlijk niemand anders hem zag. Alsof haar ogen één seconde in mist gehuld werden.

Lumikki had als betoverd naar de actrice gekeken. Ze was vergeten de rest van het toneelstuk te volgen. Het verhaal was opeens niet interessant meer. Lumikki had naar de wisselende tinten in de grijze ogen van de actrice gestaard en gedacht dat dat dus ook mogelijk was. Je kon een rol aannemen die de anderen niet doorzagen. Je kon pijn ook verbergen.

Het speelse gedans en gelach dat zich als appelbloesem over het podium verspreidde, was voor Lumikki een teken van een geheime kracht en energie. Ze bedacht dat zij ooit net als die actrice zou kunnen zijn. Ze zou een rol kunnen kiezen, het podium betreden of in het publiek gaan zitten. Ook Lumikki zou kunnen zijn wie ze maar wilde.

Achter het treinraampje leek de decembermiddag nog sneller dan gewoonlijk over te gaan in de avond. Het was grijs. Net zo grijs als het heel oktober, november en begin december was geweest. Vandaag viel er motregen in plaats van natte sneeuw. Het land was zwart. De kale takken van de bomen waren zwart. Lumikki zag zichzelf in de weerspiegeling van het raam. Haar ogen leken zwart.

Na station Toijola moest Lumikki zo nodig naar de wc dat ze voor één keer besloot van de wc in de trein gebruik te maken en niet te wachten tot ze thuis was, al zou de reis niet lang meer duren. Toen ze terugkwam, lag er een dubbelgevouwen A4'tje op haar plek. Lumikki keek om zich heen. De coupé was verder leeg. De trein stopte net in Lempäälä.

Lumikki vouwde het vel papier open en voelde haar handen trillen.

*Mijn liefste Lumikki,*

*Ik weet hoe naar het voor je voelt om langs dat gebouw te lopen. Ik weet wat je daar hebt meegemaakt. En dat maakt me mateloos kwaad. Als je wilt, zou ik hen kunnen laten lijden. Als je wilt, zou ik de muren kunnen schilderen met hun bloed. Ik zou kunnen afmaken wat jij bent begonnen, de gerechtvaardigde wraak. Eén woord van jou, en ik zou het doen.*

*Ik weet hoe ze heten. Anna-Sofia en Vanessa. Denk maar niet dat ik het niet meen.*

*Nu ik het toch over namen heb: ik ken er nog meer. Jij bent Sneeuwwitje, maar weet je nog dat er iemand was die haast als Doornroosje was?*

*Denk maar eens goed na. Je vindt de juiste naam vast wel. Die ben je niet vergeten, al kun je je verder bijna niets meer herinneren.*

*Ik volg je de hele tijd.*
*Je Schaduw*

Lumikki's maaginhoud kwam naar boven. Wie de brief ook neergelegd mocht hebben, diegene bevond zich gegarandeerd niet meer in de trein. Hij of zij was vast en zeker uitgestapt in Lempäälä. Haar stalker had het bezorgen van de brief perfect getimed.

Lumikki walgde bij het idee dat de brievenschrijver haar naar Riihimäki was gevolgd, de wacht had gehouden tot ze terugging, had afgewacht of ze naar de wc zou gaan. Alles alleen maar om haar een anoniem bericht te kunnen bezorgen.

Dit was helemaal geen grapje.

Niemand kon de dingen in de brief weten. Er waren zaken die Lumikki aan niemand had verteld. Zoals de namen van haar pesters.

Het lukte haar nauwelijks haar mobieltje vast te houden, zo erg trilden haar handen.

Gelukkig nam Sampsa meteen op.

'Zie ik je vandaag nog?' vroeg Lumikki terwijl ze opgewekt en onbezorgd probeerde te klinken.

'Nee.'

Lumikki slikte.

'Waarom niet?'

'Ik moet vanavond repeteren met de band, en op dit moment ben ik een belangrijke taak aan het volbrengen, oftewel jouw kerstcadeautje aan het kopen,' zei Sampsa met een lach. 'Dus je moet tot morgen geduld hebben, schatje.'

'Oké.'

Lumikki had het telefoongesprek zo lang mogelijk willen rekken om zich vast te klampen aan Sampsa's warme, veilige stem. Ze durfde niets te zeggen waaruit zou blijken dat niet alles in orde was. Dus praatte ze over koetjes en kalfjes, vertelde over de vakantie- en verbouwingsplannen van haar ouders. Het soort smalltalk waar ze anders nooit aan deed. Maar Sampsa had haast, en dus zat Lumikki algauw met haar stille telefoon in haar hand naar haar eigen reflectie in het raam te staren.

In haar ogen zag ze dezelfde angst die ze als zevenjarige had gehad.

# 6

Iedere klap, stoot en schop moest de tegenstander zo raken dat zijn slagvaardigheid beduidend afnam. Halfslachtige bewegingen hadden geen enkele zin. Die verbruikten alleen maar energie en droegen niet bij aan het overwinnen van de vijand.

Lumikki balde haar vuisten. Links, links, rechts. Links, links, rechts. En denk aan je dekking. Blijf in beweging.

Hoe een neus begint te bloeden, als je vuist hem raakt. Hoe een juk-been breekt, als je er een straffe schop op richt. De benen van de tegen-stander begeven het. Hij valt. Hij is aan je genade overgeleverd.

Opeens kon Lumikki niet meer doorgaan. Haar benen weigerden te bewegen. De anderen gingen door met de bodycombatles, terwijl de muziek dreunde en de instructeur aanwijzingen schreeuwde, maar Lumikki was niet meer in staat ook maar één slag op haar denkbeeldi-ge tegenstander te richten. Natuurlijk was het maar aerobics, groeps-training, gekruid met invloeden uit vechtsporten, maar op dit moment waren de beelden die ze erbij zag haar te veel.

Lumikki zag Anna-Sofia en Vanessa voor zich, die in de sneeuw la-gen en die ze allebei halfdood had geslagen. Nee, zo was het niet daad-werkelijk gegaan, maar toch zag ze het zo voor zich. Had de Schaduw gelijk? Verlangde ze nog steeds naar wraak op de pestkoppen?

Lumikki had gedacht dat een combatles haar de brieven even zou kunnen doen vergeten, maar ze had het mis gehad. De muziek knalde door de gymzaal. Het stonk er naar zweet. Een paar combatters wier-pen Lumikki geërgerde blikken toe, omdat ze daar maar onbeweeglijk midden in de zaal stond en met haar handen op haar knieën steunde. Ga uit de weg, zeiden hun blikken.

Zodra haar benen haar weer enigszins konden dragen, slalomde Lumikki om de anderen heen de zaal uit. Ze nam niet eens de moeite zich te verontschuldigen, al botste ze tegen een paar fanatiek schoppende en stotende meisjes op. In de kleedkamer aangekomen, liep ze meteen op de wc af. Ze had maar net de deur op slot en het deksel van de wc-bril omhoog gedaan, toen haar maaginhoud al haar mond uit gutste. Lumikki hield de rand van de wc-pot vast en braakte stukjes geitenkaaslasagne uit. Ze trilde over haar hele lijf. Ze kon zich niet herinneren wanneer ze voor het laatst had overgegeven. Het voelde net zo afschuwelijk als vroeger.

Lumikki had de doucheruimte helemaal voor zich alleen. In de verte hoorde ze nog altijd het gedreun van de combatles. Het was een slecht idee geweest om mee te doen. Ze zou ergens anders afleiding moeten zoeken. Ze bleef onder de warme straal staan tot lang nadat alle shampoo en zeep uit haar haar en van haar huid gespoeld waren. De aanraking van het water was een streling. Het was een omhelzing, waarin ze even haar toevlucht mocht zoeken.

*Last Christmas I gave you my heart*
*But the very next day you gave it away*
*This year to save me from tears*
*I'll give it to someone special*

Lumikki probeerde de luidsprekers van het warenhuis met haar ogen te lokaliseren. Misschien kon ze ze met een voldoende ziedende blik verschroeien en zo het ergste kerstdeuntje aller tijden het zwijgen opleggen. Het nummer van Wham! was uit 1984. Werd het niet eens tijd om het op de begraafplaats voor foute hits te ruste te leggen?

In het warenhuis leken ze daar zo vlak voor kerst anders over te denken. Misschien was uit een of ander onderzoek gebleken dat uitgerekend 'Last Christmas' ervoor zorgde dat mensen meer geld uitgaven. De verbittering en pijn van een gebroken hart, de wraaklust en het voornemen dit jaar mijn kerstcadeau aan iemand te geven die bijzonder genoeg is, die het wel weet te waarderen. Ik koop het mooiste wat er is. Ik koop het duurste wat er is. Ik bewijs mijn liefde met zo'n grote som euro's dat niemand de oprechtheid van mijn gevoelens in twijfel kan trekken. En tegelijkertijd de zoete weemoed omdat ik weet dat mijn gebroken hart nog altijd klopt voor degene die het brak.

*Now I know what a fool I've been.*
*But if you kissed me now*
*I know you'd fool me again.*

Lumikki haatte het nummer. Ze haatte de kerstsfeer in warenhuizen. De echte en de metaforische laag glitter die alles bedekte, die sneeuw moest voorstellen, maar in feite een suikerlaagje was. De kerst van warenhuizen was die uit Amerikaanse romantische komedies, waar in een paar winterse dagen de zoetsappigste ideeën over geluk, liefde en saamhorigheid werden samengeperst, met de onderliggende gedachte dat die pas echt iets betekenden in het juiste decor en met de juiste rekwisieten. Er was een open haard, een maretak, goudglans, nepsneeuw, een enorme berg met zorg uitgekozen cadeaus, een volledige kerstmaaltijd, huissokken, handgemaakte chocolaatjes, kerstliedjes en de geur van kaneel en gember. Alles was zo perfect dat het haar bijna verstikte.

Zo'n kerstdroom verkochten de warenhuizen, en dat van Tampere was geen uitzondering.

Lumikki had ook een hekel aan kerstcadeautjes kopen, want dat vond ze vermoeiend, geforceerd en overbodig. Ze gaf liever cadeautjes wanneer ze daar zelf zin in had. Ongeacht de datum. Het kopen van kerstcadeaus was een ritueel waar ze niet onderuit kon, omdat het er nu eenmaal bij hoorde. Lumikki wist dat ze niet zonder cadeau bij Sampsa kon aankomen. Maar ze was nu al bang voor het moment waarop ze van hem een mooi, goed doordacht en zorgvuldig uitgekozen cadeau zou krijgen en zij zelf iets onbenulligs en onpersoonlijks zou geven, dat ze in een vlaag van paniek had gekocht. Want Sampsa was iemand die veel cadeautjes kocht en gaf, dat had Lumikki al gemerkt. Dankzij

een of ander wonderbaarlijk instinct had hij haar al een perfecte hals-
ketting weten te geven, namelijk een eenvoudige zilveren ketting, met
daaraan een kleine zwarte steen als hanger, het mooiste notitieboekje
ter wereld en vingerloze handschoentjes, die Lumikki altijd thuis aan-
had als een koude wind door de kieren in het raam naar binnen drong.

Sampsa gaf zijn cadeaus met een luchtig gebaar, zonder er een punt
van te maken. Hij gaf cadeaus zoals de beste cadeaus worden gegeven,
zonder ook maar het kleinste cadeautje terug te verwachten. Hij wist
het zo te doen dat Lumikki niet het gevoel had dankbaarheid verschul-
digd te zijn of zich schuldig voelde. Lumikki waardeerde dat enorm,
maar wist dat het met kerst haar beurt was.

Nu had ze het toch ook nodig zich even tussen de felle lampen en
vermoeiend vrolijke liedjes te begeven. De brieven van haar stalker uit
haar hoofd te zetten. Lumikki wist niet wat ze daarmee aan moest en
omdat ze die onzekerheid niet kon uitstaan, probeerde ze de hele zaak
te vergeten. In ieder geval voor even. Misschien zou haar onderbewust-
zijn met een oplossing op de proppen komen.

'Wat een vreselijke troep, hè?' merkte een stem achter Lumikki's rug
op.

Lumikki draaide zich om en zag Tinka en Aleksi. Wat merkwaardig
dat zij op een zaterdag met z'n tweeën op pad waren, buiten schooltijd.
Lumikki had de indruk gehad dat ze elkaar niet echt mochten.

'Wie zou bijvoorbeeld zo'n ding willen hebben?' vroeg Aleksi zich
af.

Hij wees naar een voorwerp, waarschijnlijk bedoeld als tafeldeco-
ratie, dat bestond uit kronkelige, rode, knipperende neonletters met de
tekst *I love you*.

'Stel je voor dat je 's nachts wakker wordt omdat er iemand aanbelt,
en als je opendoet, staat dat ding in de gang,' lachte Tinka. 'Doodeng.'

Lumikki rilde.

'Ik geloof niet dat ik hier zal slagen voor mijn kerstinkopen,' zei ze
terwijl ze haar stem luchtig probeerde te laten klinken.

'Zoek je iets voor Sampsa?' vroeg Tinka vlug.

Lumikki knikte.

'Bofkont. Jij weet vast het perfecte cadeau voor hem te vinden.'

Lumikki meende een merkwaardige zweem van verdriet in Tinka's glimlach te zien. Maar ze had nu tijd noch zin dat verder te analyseren.

'Succes met winkelen!' wenste ze, en ze maakte zich uit de voeten voor de anderen op het idee zouden komen samen verder te shoppen.

Ze verliet de kerstafdeling van het warenhuis en nam de roltrap naar de kelder. Misschien zou ze op de boekenafdeling iets vinden. Ze baalde ervan dat ze niets zag wat haar echt iets voor Sampsa leek. Wist ze niet waar haar vriendje van hield? Dat wilde ze niet geloven. Het was gewoon deze koop-koop-koopdruk die haar verlamde. Daardoor leek alles stom en flauw.

Lumikki's hand gleed verstrooid langs boekruggen. Geen enkele daarvan fluisterde Sampsa's naam.

'We moeten ermee ophouden elkaar zo te ontmoeten.'

Het haar op Lumikki's armen stond meteen recht overeind. Vlam stond naast haar.

'De tweede keer in zo'n korte tijd. Dat moet wel het lot zijn. Kan ik je nu verleiden tot een kop koffie?'

Lumikki keek in Vlams lachende ogen en merkte hoe ze knikte en toezegde, voor ze erover had kunnen nadenken.

# 7

Twee uur en vier grote bekers koffie later vroeg Lumikki zich af waar het hele afgelopen jaar was gebleven. Het leek alsof zij en Vlam waren verdergegaan waar ze destijds waren gebleven. Alhoewel, niet precies, niet bij de pijnlijke, verscheurende momenten van hun breuk. Maar iets daarvoor, toen ze nog natuurlijke, ongedwongen gesprekken voerden. Ook nu weer zaten ze aan Lumikki's keukentafel, precies als toen. Dronken koffie. Praatten.

'Ik ben elke dag gelukkiger en completer,' zei Vlam, en Lumikki zag aan zijn oprechte, kalme blik dat hij de waarheid sprak.

Vlam had maar een paar details over zijn geslachtsveranderings-proces verteld en Lumikki vroeg niet door, want ze respecteerde zijn besluit om slechts zo veel te delen als hij wilde. Het ging uiteindelijk om zijn lichaam, zijn eigen fysieke wezen.

'Maar al die eenzaamheid en afzondering had ik nodig. Zo hield ik het vol, want de eenzaamheid maakte me sterker. Ik weet wel dat ik je verschrikkelijk veel pijn heb gedaan, en daarvoor wil ik mijn excuses aanbieden.'

Vlams woorden hadden een eerlijke, heldere klank. Maar toch kon Lumikki niets antwoorden, want daarvoor had ze de woorden niet.

In plaats daarvan vertelde ze over de gebeurtenissen van de afge-lopen winter en zomer, de misdrijven, waar ze buiten haar wil tussen was beland, de gevaarlijke situaties en haar ontsnappingen daaruit, de nabijheid van de dood.

'Ik las inderdaad in de krant over dat gedoe in Praag. Echt niet te geloven,' zei Vlam, en hij schudde zijn hoofd.

'Blijkbaar trek ik het gevaar aan,' probeerde Lumikki een grapje te maken, maar ze kon geen glimlach tevoorschijn toveren.

Ze slikte het benauwende gevoel vlug weg met een grote slok koffie, die al lauw was geworden. Zo ging het bij hen altijd. De koffie werd ongemerkt koud, omdat ze zoveel gespreksstof hadden.

Lumikki vertelde niet dat ze zich herinnerde ooit een zus te hebben gehad. En natuurlijk ook niet over de brieven van de stalker, al had ze graag haar hart willen luchten.

Ze kon niet het risico lopen dat de Schaduw de bloederige plaatjes die hij in zijn brieven schetste, tot werkelijkheid zou maken.

Ze zag wat voor invloed haar verhalen op Vlam hadden. Ze zag de beschermingsdrang in zijn ogen verschijnen. Ze merkte dat zijn hand over tafel naar de hare kroop, klaar om die vast te pakken.

'O ja, en ik heb een vriendje,' zei Lumikki vlug.

Vlam trok zijn hand terug en pakte zogenaamd nonchalant zijn beker koffie vast.

'Maar dat is leuk voor je,' zei hij met een scheef glimlachje.

Lumikki haastte zich over Sampsa's goede en nog betere eigenschappen te vertellen. Vlam luisterde rustig. Zijn gezicht leek te zeggen dat hij die Sampsa niet als een erg belangrijke factor in Lumikki's leven beschouwde. Lumikki was een beetje beledigd door Vlams houding. Dacht hij echt dat hij gewoon haar leven weer kon binnenstappen, dat zij hem met open armen zou ontvangen en al het andere zou vergeten?

Als dat zo was, had hij wel heel veel lef. En dan had hij het bovendien mis.

Vlam stond op om een glas water te halen. Toen hij weer bij de tafel was, ging hij niet zitten, maar legde hij zijn handen op Lumikki's schouders en begon die als vanouds ongegeneerd te masseren.

'Je zit helemaal vast,' zei hij.

Lumikki wist alleen een vaag gemompel uit te brengen. Ze wist dat ze Vlam had moeten vragen te stoppen. Een nek- en schoudermassage was in principe een onschuldige, vriendschappelijke aanraking, maar ze waren geen vrienden. Toch niet. Niet alleen maar. Nog niet. Misschien wel nooit.

Lumikki vroeg hem niet te stoppen, want de massage voelde ontzettend goed en haar schouders waren daadwerkelijk stijver dan ooit. Vlams vertrouwde en bedreven aanraking maakte haar spieren losser, en Lumikki voelde hoe het bloed beter en gemakkelijker begon te stromen en hier en daar een enkele knoop loskwam. Vlams handen waren warm en zijn greep was zacht en doelbewust tegelijk. Hij forceerde niets en kneep niet, probeerde haar spieren niet met geweld te dwingen zich te ontspannen. Hij kneedde eerst zachtjes en toen stap voor stap harder en grondiger. Hij stopte bij de moeilijkste plekken en liet die geduldig onder zijn vingers warm worden.

Ze zwegen.

*And the only solution was to stand and fight*
*And my body was bruised and I was set alight*
*But you came over me like some holy rite*
*And although I was burning, you're the only light*
*Only if for a night*

Op de achtergrond klonk Florence + the Machine. Lumikki had spijt van haar muziekkeuze. En toch ook weer niet. Ze wist wat ze deed toen ze Florence opzette. Ze wist welke stemming ze zo zou creëren.

Door Vlams aanraking zonk Lumikki weg in een zoete, haast slapende staat. Eventjes kon ze al het andere vergeten. De angst. De beklemming. Ze hoefde nergens aan te denken. Een lome, ontspannende warmte breidde zich uit vanaf haar schouders.

Ze wist niet hoeveel tijd er was verstreken, toen ze plots merkte dat de massage was veranderd. Het was nu eerder gestreel.

Vlam streek teder over haar nek, en iedere liefkozing bezorgde Lumikki rillingen, die langs haar rug omlaag liepen, steeds verder. De loomheid ebde langzaamaan weg. Binnen in Lumikki laaide een gloeiend vuur op. Vlams handen liefkoosden de zijkanten van haar hals en haar oren, keerden terug naar haar nek. Zijn warme adem op Lumikki's huid.

Zij tweeën tegen elkaar aan, in elkaars armen, hun opgewonden ademhaling, hun lippen die elkaar raken.

Zij tweeën onder de douche, blote, gladde huid, vochtig, nat, de harde tegelwand tegen haar rug, stemmen die weergalmen in de kleine ruimte.

Zij tweeën op Lumikki's matras, gekreukte lakens, gehijg, tanden in een schouder, kreten die niet tegengehouden konden worden.

Zij tweeën in hun eigen bos, omgeven door de geur van naaldbomen, verborgen, verstopt tussen de schaduwen, aan elkaar vastgekleefd, in elkaar verloren, met ergens ver weg, hoog boven hen, tussen de takken, het twinkelende licht van de sterren.

Lumikki schrok van haar fantasieën. Ze stond vlug op en deed een stap bij Vlam vandaan.

'Je moet nu maar gaan.'

Ze staarde vastberaden langs hem heen. Ze kon niet het risico nemen hem in de ogen te kijken. Dan was ze misschien niet in staat geweest hem weg te sturen.

Vlam stelde geen vragen. Hij liep rustig naar de gang en trok in stilte zijn jas aan. Bij de deur draaide hij zich dan toch om, glimlachte en zei: 'Ik zie je gauw weer, prinses. Dat weet je heus wel. We kunnen gewoon niet lang zonder elkaar.'

Toen vertrok hij, zonder Lumikki's antwoord af te wachten.

Lumikki staarde naar de deur. Ze wist dat Vlam gelijk had.

*Ik heb zo vaak gezien hoe onvoorstelbaar wreed mensen tegen elkaar kunnen zijn. Vooral op school. Kinderen en tieners vinden elkaars zwakke plekken en slaan meedogenloos toe. Het zijn roofdieren. De school is een jachtterrein en een slagveld. Alleen de sterksten komen als winnaar uit de strijd.*

*Daarom droom ik er eigenlijk van mijn dreigement te mogen uitvoeren.*

*Iedereen kijkt naar het toneelstuk.*

*Iedereen in de zaal is stil.*

*Dan eerst het podium vol bloed en geschreeuw en lichamen. Paniek. De deuren zitten op slot. En dan het hele publiek. Een voor een. Niemand zou ontsnappen. Ik zou de hele zaal rood verven.*

*'Het leven is niets dan een wandelende schaduw, een armzalige speler die op het toneel zijn uurtje kniest en pronkt en dan verdwijnt. Het is een sprookje, verteld door een zot, vol lawaai en geraas dat niets betekent.'*

*Ook zij zouden moeten leren dat zelfs de allersterksten, de allerwreedsten, de allersluwsten niet onoverwinnelijk zijn. Het zou een harde les voor hen zijn.*

*Een les over leven en dood.*

# 10 DECEMBER
## ZONDAG

# 8

Lumikki was jaloers. Het was de eerste keer in haar leven dat ze dat zo sterk besefte. Ook vroeger had ze vaak iemand anders willen zijn. Iemand die thuis niet haar blauwe plekken hoefde te verbergen en het bloed uit haar onderlip op te zuigen, niet hoefde te beweren dat ze was gestruikeld en gevallen. Maar dat was eerder een wanhopig verlangen geweest om uit haar eigen leven te ontsnappen dan echte jaloezie.

Sampsa's vader bracht net een grote stapel pannenkoeken naar de tafel.

'Perfecte exemplaren kun je deze niet echt noemen,' zei hij erbij.

'Dat is ook niet te verwachten, als je tijdens het bakken de hele tijd één oog op een spelletje op je iPad houdt,' merkte Sampsa's moeder op, en ze streek haar man over zijn arm.

Sampsa's kleine zusje Saara wipte op haar stoel.

'Ikke wil tien poenekakken met aambei!' verkondigde ze vrolijk.

Sampsa's moeder keek haar man aan.

'Heeft ze dat van jou?'

Sampsa's vader haalde zogenaamd onschuldig zijn schouders op.

'Kinderen pikken van alles op,' beweerde hij.

Lumikki luisterde verward naar het gesprek. Ze was niet gewend aan een gezin waar de leden elkaar vriendelijk en liefdevol plaagden en er voortdurend gelachen werd. Sampsa's familieleden leken ook nooit op te houden met praten. Opmerkingen vlogen in het rond als ballen die alle kanten op geslingerd werden. Sommige vielen op de grond, maar dat maakte niemand wat uit. Hun communicatie mocht dan chaotisch lijken, ze was het blijkbaar niet. Iedereen kon het gesprek min of meer volgen. Zelfs Saara, die toch pas vier was.

Ook Sampsa's huis was te omschrijven als een gezellige chaos. Netjes kon je het met de beste wil van de wereld niet noemen. Spullen slingerden in het rond, de vloeren lagen vol speelgoed, er hingen kleren over de stoelen, en lagen stapels kranten, stapels boeken, er stonden half geopende dozen en verpakkingen waarvan Lumikki niet wist of ze uitgepakt of ingepakt werden. Bij haar ouders zou het er nooit zo uit kunnen zien.

Lumikki benijdde Sampsa's familie zo erg dat haar hart er pijn van deed. Aan alles was te zien dat ze in het hier en nu leefden. Ze zorgden voor elkaar, genoten van elkaars gezelschap en maakten plezier. Hun gedrag was spontaan en ongedwongen, zonder geforceerd, geveinsd of gespeeld te zijn, hoewel er toch een vreemde bij was, namelijk Lumikki. Ze hadden haar ontvangen als een lang verloren familielid, dat er meteen helemaal bij hoorde. Lumikki had zich nog nooit zo welkom gevoeld als toen ze het huis van Sampsa's ouders binnenstapte. Ze had de Zweedstalige familie van haar vader altijd wat afstandelijk gevonden, ondanks hun vrolijke liedjes en geroezemoes. In hun gezelschap voelde ze zich altijd het zwarte schaap, waarvan iedereen had gehoopt dat ze anders zou zijn, vrolijker en socialer. Sampsa's familie was als Sampsa zelf: zonder eisen of verwachtingen.

Lumikki keek met een schuin oog naar Sampsa, die ontspannen en breed glimlachend pannenkoeken op het bord van zijn kleine zusje legde. Lumikki wist dat het plaatje bij haar thuis ondenkbaar was.

Wat had Sampsa een goed leven. Zijn geluk was vanzelfsprekend en toch volkomen gerechtvaardigd. Hij was iemand die het zich kon veroorloven anderen warm en vriendelijk te behandelen. Zijn wereld kende geen verzwegen geheimen, dreigbrieven of doodsangst. In zijn wereld hoorde geen vriendin thuis die haar voormalige geliefde haar nek liet masseren terwijl ze heel goed wist dat die aanraking een verboden lust zou opwekken.

Lumikki sloeg het gedrag van Sampsa's familie gade en voelde zich plotseling ijzingwekkend alleen. Haar angsten, de duisterste plekken in haar, haar bloedrode haat, de zwartste schaduwen in haar bos, haar donkerste wateren en diepste onderstromen. Die zouden nooit deel uitmaken van het leven van deze mensen. Van deze gelukkige en zonnige, grapjes makende, speelse, luidruchtige, in al hun drukte zelfs ietwat irritante, maar toch op alle mogelijke manieren heerlijke mensen.

'Nu zijn mijn handen helemaal plakkerig!' zei Saara, en ze liet haar rode handpalmen zien.

Uiteindelijk had ze maar drie pannenkoeken op gekregen.

'Natuurlijk, want jij wilde een halve kilo aardbeienjam op je pannenkoeken. En je hebt met je handen gegeten.'

Sampsa boog naar voren om de handjes van zijn zusje af te vegen met een servet.

Kleverige aardbeienjam. Rood. Kleverig. Warm. Bloed.

De herinneringen flitsten zo snel door Lumikki's heen dat ze er geen vat op kreeg. In haar hoofd zag ze jam die op de vloer droop. Ze zag een plas bloed, die steeds groter werd. Ze schudde zachtjes haar hoofd. Waar kwamen die beelden eigenlijk vandaan?

'Mag ik al gaan spelen?' vroeg Saara ongeduldig.

'Dat mag,' zei Sampsa's moeder.

'Lumikki gaat prinsesje met me spelen,' eiste Saara, en ze pakte met haar nog wat plakkerige handje Lumikki bij de arm.

Lumikki deinsde terug voor de aanraking. Een bloederige hand. Een hand die niet bewoog, hoe ze er ook tegen duwde. Een hand die langzaam kouder werd.

'Misschien wil Lumikki nog wat eten. Vraag het eens netjes,' zei Sampsa's vader.

'Ik kom wel spelen,' beloofde Lumikki snel.

Ze wilde haar gedachten losmaken van de rare associaties, die bliksemsnel kwamen en gingen.

Saara wikkelde ruches van tule om Lumikki's hoofd, trok zelf een knalroze jurk over haar andere kleren aan en zwaaide met haar toverstaf.

'Dit is een toverstaf en een zwaard tegelijk,' legde ze trots uit aan Lumikki terwijl ze een met glitters bezaaid stokje liet zien.

'Maar dat is handig. Als je monsters tegenkomt, kun je ze in lieve monsters omtoveren of tegen ze vechten,' antwoordde Lumikki.

De tulen ruches kriebelden op haar hoofd, maar ze liet ze zitten. Voor de duur van het spelletje kon ze zo'n licht ongemak wel verdragen.

'Monsters zijn mijn vriendjes. Maar als er een boze prins komt, hak ik zijn hoofd eraf. En dan tover ik hem om in een leuke kikker.'

Lumikki moest lachen. In dit gezin werden de klassieke sprookjesverhoudingen duidelijk regelmatig op hun kop gezet. Saara begon wild te dansen in haar roze jurk. Een kleine Doornroosje.

De laatste brief drong Lumikki's gedachten weer binnen, en ze probeerde hem naar de achtergrond te verbannen. Hij wilde niet wijken. De woorden uit de brief vochten zich naar boven, beukten als golven op het strand, steeds opnieuw. Steeds hoger, met schuimkoppen.

Doornroosje. Roosje.

Lumikki moest op de vloer gaan zitten, omdat anders haar benen het hadden begeven. Dit was geen droombeeld of voorzichtige fantasie. Dit was een echte, kraakheldere herinnering.

Roosje. Roosa.

Haar zus had Roosa geheten.

# 11 DECEMBER
## MAANDAG

# 9

Sneeuwwitje drukte zich stevig tegen de koude, stenen muur van de torenkamer. Ze was volkomen stil en verroerde zich niet. Eerst werd ze niets dan een schaduw, toen een deel van de stenen muur, waarmee ze versmolt. Sneeuwwitje werd hard als een rots. Haar armen en benen verstijfden. Haar hart werd een steen. Haar ademhaling was onhoorbaar. Ze bestond niet.

Ze wist dat ze maar een paar seconden de tijd zou hebben als de deur van de torenkamer openging. Ze moest onmiddellijk toeslaan. Ze hield een zilveren kam in haar hand geklemd en liet haar vinger over de scherpe tanden glijden. Als ze haar vingertop op een ervan zou drukken, zou die tand haar huid doorboren en een grote rode bloeddruppel tevoorschijn toveren. De mooie, kronkelende reliëfversieringen op de kam voelden troostend en veilig aan. Ze vormden rozen die met elkaar waren verstrengeld.

Doornroosje. Die zich prikte aan een spinnewiel en in een honderdjarige slaap viel. Roosa, die in een eeuwige slaap was. Lumikki's zus. Nee, nu mocht ze niet aan haar denken. Ze moest zich concentreren, zodat ze het zou merken als de deur openging. Al haar zintuigen en gedachten moest ze daarop richten.

Ze hoorde stappen naderen. Ze hoorde aan het ritme ervan dat het was op wie ze wachtte. Ze haatte hem zo erg dat ze bijna verblind werd door een verzengende, roodgetande woede. Hij had haar gevangengenomen, onderdrukt, de enige persoon vermoord van wie Sneeuwwitje misschien had kunnen houden. Ze was zo vervuld van haat dat ze bereid was te doden.

De stappen waren bij de deur aangekomen. De sleutel werd tergend langzaam omgedraaid in het slot. Sneeuwwitje hield de kam stevig vast. De deur ging open en de Prins kwam binnen. Sneeuwwitje hield zich verscholen achter de deur. De Prins keek om zich heen in de lege torenkamer, verbaasd. Sneeuwwitje schopte de deur dicht en viel de Prins aan. Met één krachtige beweging sloeg ze de scherpgetande kam in zijn hals. De Prins viel op de vloer, terwijl hij zijn keel vasthield.

Bloed. Rood en warm. Levenssap, dat bij iedere hartslag uit hem gutste, en waarvan iedere wegvloeiende druppel hem dichter bij de dood bracht.

'Help me,' smeekte de stervende Prins.

'Nooit.'

Sneeuwwitje stond naast hem en keek hoe het licht in zijn ogen doofde. Ze had geen haast. Ze genoot van het moment. Sterf, mijn kwelgeest. Jij wilde mij in een eeuwige slaap dompelen en weer opsluiten in een glazen kist. Je wilde alleen maar naar me kijken als ik mooi en stil was, een sierobject. Geen levend wezen meer, met gedachten, gevoelens en verlangens. Lastig in toom te houden. Mijn eigen, onafhankelijke ik, die niet bleek te doen wat jij wilde.

'Goed zo, goed zo. Heel goed. Lumikki, houden zo.'

Tinka kwam enthousiast het podium op en legde haar hand op Lumikki's arm. Lumikki schrok op. Ze merkte dat ze snel ademde. Haar handen trilden en ze was bijna verbaasd toen ze zag dat die niet onder het bloed zaten. Ze had het warme, kleverige bloed aan haar handen gevoeld. Kleverig als aardbeienjam. Ze was weer ergens anders geweest, zo opgegaan in haar rol dat het was geweest alsof alles haar echt overkwam.

'Is het nou echt wel geloofwaardig dat ze daar blijft staan kijken terwijl ik doodga? Zou ze zich niet als de bliksem uit de voeten moeten maken?' vroeg Aleksi terwijl hij over zijn keel wreef.

'Dit is een cruciale scène. Sneeuwwitjes wraak. Natuurlijk moet ze daar even blijven staan. De toeschouwers moeten blijven staan. En daarbij zijn we niet een of ander realistisch drama aan het maken.'

De irritatie klonk door in Tinka's stem, zoals zo vaak wanneer ze tegen Aleksi sprak.

'Oké dan. Jij bent de regisseur. Het is jouw visie,' antwoordde Aleksi. Toen draaide hij zich naar Lumikki.

'Doe de volgende keer wat rustiger aan met die kam, als je het niet erg vindt. Ik heb er nu nare schrammen aan overgehouden.'

Aleksi liet rode afdrukken op zijn hals zien.

'Ja. Sorry.'

Lumikki kon het niet hardop zeggen, maar het verbaasde haar dat er geen echt bloed uit Aleksi's keel stroomde. Ze kon zich totaal niet herinneren dat ze haar beweging op tijd had weten te stoppen.

'We houden ermee op voor vanavond,' zei Tinka, en ze klapte in haar handen.

Ze begonnen hun spullen bijeen te zoeken. Sampsa kwam naar Lumikki toe en sloeg zijn armen om haar heen.

'Vanavond kom ik bij jou slapen en dan kunnen we Sneeuwwitje en de Jager spelen,' fluisterde hij in haar oor.

'De Jager gaat dood,' zei Lumikki met een grijns. 'Zou dat niet nogal een necrofiel spelletje worden?'

'Misschien sta ik wel op uit de dood, als je me probeert over te halen.'

Tinka zag hun gefluister aan en haar ogen versmalden zich iets.

'Zullen we nu dan gaan, voordat we voor die twee een kamer moeten zoeken?'

Aleksi moest lachen. Lumikki kon Tinka's stem niet precies duiden. Misschien klonk er jaloezie in door, en ook nog iets anders? Iets wat duisterder was? Scherper en doorniger?

Bij de kapstokken wachtte hun een vreemde aanblik.

De vloer was bezaaid met rode rozenblaadjes.

'Wie heeft dit nu weer uitgehaald?' vroeg Tinka aan de anderen.

Ze keken elkaar aan en haalden hun schouders op.

'Er zou hier behalve wij niemand moeten zijn,' merkte Sampsa op.

'Hallo! Is daar iemand?' riep Tinka hard.

Iemand, iemand, iemand, stuiterde de echo van de muren op de lege gangen. Niemand gaf antwoord.

'Wat gek,' zei Aleksi.

Lumikki keek naar de blaadjes en rook de bedwelmende, weerzin-wekkende geur ervan. Ze wist dat de rozenblaadjes voor haar bedoeld waren. Haar stalker wilde haar aan Doornroosje herinneren. Maar hij wist overduidelijk niet dat ze zich de naam al had herinnerd. Dat schonk haar een beetje voldoening. Ze wist dat ze in ieder geval wat één ding betrof verder was dan de stalker dacht.

Er was eens een sleutel die op een klein kistje paste. Twee kleine meis-jes speelden vaak met het kistje. Het was hun schatkist, waarin ze sie-raden verstopten en stenen en veren en fraaie dennenappels en mooie herfstbladeren en flessendoppen en knikkers en hun eigen geheimpjes, die alleen van hen tweeën waren. Ze waren prinsessen en als ze groot waren, zouden ze van de schatten in hun kistje de wereld rond reizen.

Toen brak de tijd aan waarin het kistje werd leeggehaald. Alle mooie schatten van de meisjes verdwenen. Het kistje werd gevuld met andere schatten en andere geheimen. Maar die zou niemand kunnen gebruiken om de wereld rond te reizen. En bovendien zou het ene meisje nooit meer op reis gaan.

Er was eens een sleutel die lang had gewacht.

Er was eens een sleutel die het kistje opnieuw wilde openen en de geheimen daarin wilde ontsluieren.

Er was eens een sleutel die van zijn oude schuilplaats was verplaatst naar een nieuwe, een koud gat tussen twee stenen.

# 12 DECEMBER

## DINSDAG, VROEG IN DE OCHTEND

# 10

Lumikki werd wakker omdat ze het heet en benauwd had. Ze keek op haar telefoon hoe laat het was. Tien voor halfvier. Een tijdstip waarop ze had moeten slapen als een blok. Sampsa had zijn arm om haar heen geslagen en straalde warmte uit. Meestal voelde dat alleen maar goed, maar nu was het Lumikki te heet. Ze wurmde zich voorzichtig onder zijn arm vandaan en stond op. Sampsa kreunde eventjes in zijn slaap, maar draaide zich toen alleen maar om en sliep zwaar en gelijkmatig ademend verder. Een tevreden, onbekommerd slapend mens. Lumikki keek naar zijn achterhoofd en zijn warrige haar en liet zich langzaam overspoelen door de tederheid die ze voor hem voelde.

Die lieve, lieve Sampsa. Als hij sliep, leek hij net een onschuldig kind. Ook wakker was hij wonderbaarlijk onschuldig. Onbevreesd, omdat hij nooit echt bang had hoeven zijn. Zich bewust van zijn waarde, omdat niemand die ooit in twijfel had getrokken of de grond in had getrapt.

Lumikki deed de deur achter zich dicht toen ze de keuken in ging. Ze deed het licht aan en vroeg zich af of ze koffie zou zetten. Dan zou ze zeker niet meer kunnen slapen, maar op dit moment had ze behoefte aan de sterke geur en vertrouwde smaak van koffie. Hoe het eerste slokje bijtend scherp was, maar dat gevoel al snel in genot veranderde, ontspannen en opwekkend tegelijk. Een gevoel dat de zintuigen aanscherpte.

Ze wilde het espressopotje al pakken, toen ze zag dat het scherm van haar mobiele telefoon oplichtte. Een sms'je. Wie stuurde er in godsnaam berichtjes in het holst van de nacht?

*Mijn liefste Lumikki. Je bent wakker. Ik zie dat er licht brandt*
*achter je raam. En zet het maar uit je hoofd om je vriendje uit*
*zijn zoete slaap te halen. Dit is iets tussen ons tweeën, zoals alle*
*belangrijke dingen.*

Lumikki's mond werd droog. Ze kon niet goed slikken. Ademhalen
ging moeizaam. Het berichtje was via een dienst voor anonieme sms'jes
verstuurd, en dus zag ze alleen het nummer van de aanbieder van die
dienst, niet dat van de afzender. Haar stalker liet niets aan het toeval
over, noch liet hij per ongeluk sporen van zichzelf achter.

Vluchten. Verstoppen. Licht uit.

Dat was Lumikki's eerste reactie, waarvan ze ook wel begreep dat
die totaal zinloos was. Ze was al gezien. Ze kon zich niet verstoppen.
En dus liep ze met zo vast mogelijke stappen naar het raam en keek
naar buiten, de duisternis in. Ze verbood haar handen te trillen en
drukte ze tegen de ruit, schermde een klein kijkgaatje voor zichzelf af
om de buitenwereld te kunnen zien. In het park was niemand te zien.
De schaduwen van de bomen bewogen niet. Maar er waren ontelbaar
veel donkere, duistere plekjes, waar de stalker zich verstopt zou kunnen hebben. Of misschien zat hij in het gebouw tegenover haar. Hij
kon eigenlijk overal zijn. Hij zag Lumikki. Zij zag hem niet.

Weer een berichtje.

*Kom naar buiten. Ik wil je iets laten zien.*

Nooit van m'n leven. Lumikki wilde haar telefoon al tegen de muur
smijten. Dacht de afzender van de berichtjes dat ze geen enkele drang
tot zelfbehoud had? Dat ze zogenaamd in haar eentje de nacht in zou
stappen vanwege het sms'je van een of andere gek? Ze wist dat ze zich
soms roekeloos gedroeg, maar zo stom was ze toch echt niet.

Ze ging aan tafel zitten en pakte haar telefoon. Ze zou hem uitzet-
ten. Wat haar betrof, mocht de stalker de hele nacht z'n berichtjes blijven sturen, maar zij zou er geen enkele meer van lezen.

Precies op dat moment kreeg ze een derde berichtje.

*Ik zie dat je niet van plan bent naar buiten te komen. Jammer. In dat geval moet ik vannacht dus iets anders doen. Ik heb hier het adres van Anna-Sofia. Ik ga haar even gedag zeggen. Wil jij haar nog iets meedelen? Zo ja, doe dat dan nu. Morgenochtend zal ze het namelijk niet meer horen. Dan hoort ze niets meer.*

Lumikki stond zo snel op dat de stoel met een klap omviel. De afzender blufte, dat kon niet anders. Het was vast een loos dreigement. Hij ging Anna-Sofia niet vermoorden. Dat kon niet waar zijn. Hij wilde alleen kijken hoever hij Lumikki kon krijgen.

Maar wat als hij het wel meende …

*Of heb je je toch bedacht? Je hebt twee mogelijkheden, lieve Lumikki van me. Of je komt nu naar buiten, of Anna-Sofia sterft nog voor de zon opkomt. Misschien hoop je eigenlijk dat ze doodgaat? Als dat zo is, zorg ik daar graag voor. Voor jou doe ik alles, mijn liefste.*

Lumikki besefte dat ze geen risico kon nemen. Ze wist niet met wie ze te maken had, maar ze wist wel dat de stalker onvoorstelbaar veel over haar wist. En misschien wel echt tot alles in staat was.

Kleren aan. Jas aan. Laarzen aan. Nog één voorzichtige blik om er zeker van te zijn dat Sampsa rustig lag te slapen. Uit de kamer klonk zijn rustige, diepe ademhaling. Lumikki krabbelde vlug een boodschap op een briefje, waarin ze meldde dat ze niet kon slapen en daarom een blokje om was. Ze hoopte van harte dat Sampsa niet wakker zou worden voor ze terug was. Als ze terug zou keren.

Nee, ook nu gaf Lumikki zich niet over aan de doodsangst, al probeerde die haar te overspoelen als een allesverslindende golf.

Buiten viel een ijzige motregen. Lumikki kneep zo hard in de klink van de buitendeur dat haar hand er pijn van deed. Ze keek om zich heen, maar zag niemand. Wat was dit voor spelletje?

Ze was naar buiten gekomen. Ze had de aanwijzingen opgevolgd. Weer een sms'je.

*Brave meid. Maar de nacht is koud. Ik wil je graag opwarmen. Ik weet dat je hard kunt rennen. Je hebt precies een kwartier de tijd om naar het paleis in het Näsikalliopark te gaan. Als je te laat bent, wijzig ik alsnog mijn plannen en ga ik Anna-Sofia ombrengen. Je tijd gaat nu in.*

Lumikki was al weggespurt voordat ze het hele berichtje had gelezen. Het natte, glibberige pad leek weg te slippen onder haar laarzen. Waarom had ze er ook nu weer niet aan gedacht hardloopschoenen aan te trekken? Ze had inmiddels toch al moeten weten dat ze op een gegeven moment weer hard moest rennen. Dat was sinds februari de normale gang van zaken in haar leven.

Ze had vlug in haar hoofd de snelste route berekend. Via de Naistenlahtistraat naar de Lappiweg en die helemaal volgen tot aan de wijk Tampella. De grijsbruine papsneeuw week spattend uiteen onder haar schoenzolen. De koude motregen drong door haar jas en muts heen en maakte haar zicht wazig. De straatlantaarns gaven een flets schijnsel. Overal waar hun licht niet viel, was het pikkedonker.

Terwijl ze aan het rennen was en de tijd in de gaten hield, vroeg Lumikki zich af of ze wel helemaal goed bij haar hoofd was. Waarom deed ze dit? Waarom kon het haar überhaupt iets schelen of haar stalker zijn dreigement daadwerkelijk zou uitvoeren? Lumikki had Anna-Sofia al meer dan twee jaar niet gezien en had ook verder niets meer met haar te maken. In feite was het niet haar zaak wat er met haar voormalige kwelgeest gebeurde.

Toen Lumikki de Juhlatalostraat in rende, zag ze in dat ze eigenlijk niet anders had kunnen handelen, omdat een deel van haar Anna-Sofia daadwerkelijk dood had gewenst. Daarvan had Lumikki vaak gedroomd, ze had het in haar slaap voor zich gezien. Ook nog nadat ze van de pestkoppen af was en naar Tampere was verhuisd. Een klein deel van

Lumikki hunkerde naar wraak en bestraffing van het kwaad. Door Anna-Sofia en Vanessa had ze jarenlang liever dood willen zijn dan door hen gepest te worden.

Gerechtvaardigde wraak.

Als Lumikki gewoon thuis was gebleven en weer naar bed was gegaan, terwijl Anna-Sofia om het leven werd gebracht, zou ze zich verantwoordelijk hebben gevoeld. Ze zou schuldig zijn geweest, omdat een deel van haar het zo had gewild.

Nog vijf minuten. Lumikki liet haar schoenzolen in een steeds sneller tempo op de grond neerkomen. Ze was op de Paleisbrug, die Tampella verbond met het deel van de stad waar de oude textielfabrieken stonden. Het brugdek was glad. De waterkoude lucht deed haar longen geen plezier. Maar ze ging het redden. Ze moest het redden.

Het Näsipark behoorde niet tot Lumikki's favoriete plekken. Het was een mooi park op de Näsiheuvel, dat aan het begin van de twintigste eeuw op de toen haast onbegroeide rots was aangelegd. In de zomer was het er prachtig en betoverend groen, met een mooi uitzicht over het Näsimeer. Er groeiden verschillende soorten rotsplanten, er stonden oude omheiningen gemaakt van keien en er groeide zelfs Finlands grootste populier. Onder andere omstandigheden had het wat Lumikki betrof het mooiste park van Tampere kunnen zijn.

Maar uitgerekend hier had Vlam het uitgemaakt. Daarom bracht het park alleen nog maar gevoelens van verdriet en somberheid in haar naar boven. Op dit uur was het er pikdonker en doodstil. Een park uit een nachtmerrie.

Midden in het park doemde het Näsipaleis licht en jammerlijk vervallen op, in hautaine eenzaamheid op de hoogste plek. Lumikki's longen deden pijn toen ze met haar laatste krachten de heuvel op rende.

Milavida. Dat was de oorspronkelijke, welluidende naam van het paleis. De geschiedenis van Milavida was tragisch. Het paleis was gebouwd in opdracht van Peter von Nottbeck, zoon van Wilhelm von Nottbeck, de patroon van de Finlayson-textielfabriek. Het oorspronkelijke Milavida was een houten herenhuis geweest, dat aan de voet van de Näsiheuvel stond. Het nieuwe Milavida was in 1898 klaar, maar de familie Von Nottbeck nam er nooit haar intrek: Peters vrouw Olga stierf tijdens de bevalling van haar tweeling en Peter zelf stierf een halfjaar later na een blindedarmoperatie in een ziekenhuis in Parijs. In 1905 werd het paleis verkocht aan de stad Tampere. In de zwarte december-nacht leek het Näsipaleis eerder een spookkasteel, volkomen onwerkelijk. Een paleis voor geesten. Misschien hadden de Von Nottbecks er na hun dood dan toch hun intrek genomen.

Lumikki keek hoe laat het was. Ze was op tijd. Ze had de stalker willen toeschreeuwen dat hij eindelijk tevoorschijn moest komen en zich moest laten zien. Net op dat moment kreeg ze weer een berichtje.

*Een minuut te vroeg. Je bent sneller dan ik had kunnen vermoeden. Je hebt je beloning verdiend. Aan de linkerkant vanaf het meer gezien zit helemaal onderaan in de stenen fundering een kleine opening. Daar zit iets voor jou.*

Eerst ren-je-rot, vervolgens schatzoekertje. Dit leverde haar stalker vast een soort ziek genot op. Lumikki liep naar de linkerzijde van het paleis en voelde met haar vingers aan de koude stenen fundering. Niets. Niet het kleinste gaatje. Ze begon dit echt zat te worden. Maar net toen ze het al wilde opgeven en haar vingers bijna gevoelloos waren van de kou, vond ze vlak bij de grond een opening. Ze stak haar vingers erin en voelde iets van metaal. Ze haalde het eruit.

In haar hand rustte een kleine, messingen sleutel.

*Gefeliciteerd. Dat is de sleutel tot het grote geheim in jouw leven. Ik weet zeker dat je, als je goed genoeg in je geheugen graaft, je ook zult herinneren waar de sleutel op past. Maar nu is het hoog tijd dat je naar huis gaat om te kijken of je Prins nog veilig slaapt. Je wilt toch niet dat hem ooit iets ergs zou overkomen? Ook al is hij dan niet degene die echt van jou houdt.*

Lumikki had zich niet kunnen voorstellen dat ze de terugweg nog sneller zou kunnen afleggen dan de heenweg. Maar de angst gaf haar vleugels. Als die gek Sampsa iets aandeed …

Thuis was alles zoals het hoorde te zijn. Sampsa lag zacht te snurken op het matras. Lumikki trok haar kleren uit, verfrommelde het briefje dat ze had achtergelaten tot een prop, gooide het in de vuilnisbak en kroop heel voorzichtig weer naast Sampsa. Hij draaide zich in zijn slaap naar haar toe en sloeg zijn arm om haar heen. Het haar op zijn voorhoofd was vochtig. Had hij een nachtmerrie gehad en in zijn slaap liggen zweten?

Opeens was Lumikki zo moe dat ze haar ogen niet meer kon openhouden. Ze viel in slaap en had geen nachtmerries, noch dromen over de geheimzinnige sleutel, die op haar wachtte in haar jaszak. De sleutel met een kunstig bewerkt hart erin.

Mensen zijn zo goed van vertrouwen. Als je maar overtuigend en geloof-waardig genoeg bent, slikken ze elk woord dat je zegt voor zoete koek en denken ze dat het de waarheid is. Daarom kreeg ik de sleutel eigenlijk gemakkelijk in mijn bezit. Mensen vertrouwen mij en praten hun mond voorbij. Dat gold ook voor hem, toen ik een ontspannen sfeer van ver-trouwen had weten te scheppen. En je moet niet vergeten dat ook alco-hol helpt om mensen aan de praat te krijgen. De sleutel lag precies waar hij dacht dat hij lag.

'Het is toch krankzinnig dat ze 'm nog steeds bewaren in de boeken-kast achter Klein Duimpje?' Dat had hij met z'n dronken kop gezegd. Ik knikte, al zijn er volgens mij wel krankzinnigere dingen in deze wereld. Wie ben ik om andermans keuzes te veroordelen? Allemaal willen we onze geheimen op onze eigen manier bewaren.

Ik wilde hem aan jou geven, opdat je het je herinnert. Ik zou je alles wat ik weet rechtstreeks kunnen vertellen, maar dat zou saai zijn. Ik heb liever dat je het zelf uitzoekt. Dan is het waardevoller. Dan zijn jouw ei-gen herinneringen echt.

Misschien zie je het nog niet op die manier, maar ik geef je geschen-ken. Ik geef ze je een voor een. De grootste geschenken die iemand je ooit heeft gegeven.

Ik schenk je je verleden.

Ik schenk je je geheim.

Ik schenk je wie je werkelijk bent.

Ik schenk je jezelf, als geheel. Eindelijk.

En dan zul je er klaar voor zijn om mijn laatste geschenk in ontvangst te nemen, oftewel mijn eeuwige liefde, omdat je zult begrijpen dat ik de enige ben die zoveel van je kan houden. Dan zul jij ook van mij gaan houden. Wij zijn hetzelfde. Wij zijn een.

# 12 DECEMBER
## DINSDAG

# 11

Het zwarte water trok Lumikki steeds dieper en dieper mee. Ze zou het oppervlak niet meer kunnen bereiken, al zou ze het proberen. Dat wilde ze niet eens. Onder water was een bos. Een ander bos dan de bossen aan land. De boomstammen en de takken maakten voortdurend vloeiende, deinende bewegingen. Ze waren buigzaam. Het waren soepele waterplanten.

Lumikki zonk dieper en dieper weg. Nu zag ze dat er op de bodem iets schitterde. Het was een kistje. Het kwam haar bekend voor. Ze realiseerde zich dat de messingen sleutel die ze had gekregen op het kistje zou passen. Ze hoorden bij elkaar.

Ze probeerde bij het kistje te komen, maar plotseling bleven haar voeten steken in het zwarte slik op de bodem. Ze kwam niet meer vooruit. Ze kreeg geen adem. De zuurstof raakte op. Ze wist dat haar longen zich straks met water zouden vullen en dat ze zou sterven.

'Angst.'

Het met nadruk uitgesproken woord deed Lumikki wakker schrikken. Ze was heel even in slaap gevallen. Het duurde even voor ze besefte dat ze in de psychologieles zat en dat de stem van de leraar, Henrik Virta, haar uit haar slaap had gewekt. Het rennen naar het Näsipaleis van die nacht voelde als een nachtmerrie van lang geleden, maar ze had er twee concrete bewijzen van. Een immense vermoeidheid en een sleuteltje van messing, dat nu in de zak van haar spijkerbroek zat en dat haar vingers niet met rust konden laten.

Het kistje. Ze herinnerde zich het kistje. Maar waar had ze het eerder gezien …?

'Angst is een van de grootste menselijke drijfveren,' vervolgde meneer Virta. 'Ik denk dat we geen enkele aanleiding hebben om over moed te spreken. Moed bestaat niet. Alleen angst bestaat.'

'Hoe zou u dat onderbouwen?' vroeg Tinka zonder haar vinger op te steken.

'Je hoort vaak dat moed het overwinnen van angst is. Zoals ik het zie, zorgt angst er juist voor dat we actie ondernemen en dingen doen waar we normaal gesproken niet tot in staat zouden zijn. Angst openbaart zich dus als moed.'

De stem van meneer Virta was diep en aangenaam. Hij was altijd een van Lumikki's favoriete leraren geweest, juist omdat hij zijn zinnen zo wist te formuleren dat ze dwongen tot nadenken, maar niet onnodig provocerend waren.

'Maar zorgt angst er niet voor dat we vluchten, en moed dat we blijven om te vechten?' merkte Aleksi op.

'Dat kun je natuurlijk denken. Aan de andere kant zou je ook kunnen denken dat angst ons instrueert hoe we in iedere situatie het best kunnen handelen. Doodsangst is een van de sterkste angsten. En die kan er soms toe leiden dat we wegvluchten en ons soms aanmoedigen te vechten,' zei meneer Virta.

Lumikki was nog steeds moe en wilde het liefst met haar armen op haar tafeltje een kussentje vormen, haar hoofd daarop laten rusten en slapen, slapen, slapen. Sampsa zat naast haar, streek over haar arm en fluisterde: 'Ga na dit uur naar huis om te slapen. Je ziet eruit als een zombie.'

'Dank je,' bromde Lumikki.

Sampsa had zich die ochtend afgevraagd waarom Lumikki er zo afgepeigerd uitzag. Zij had slechts geantwoord dat ze die nacht niet goed had geslapen. Wat had ze anders moeten zeggen? De stalker had heel duidelijk gemaakt dat ze met geen woord over hem of zijn berichten mocht praten. Sampsa vond dat ze het best die ochtend al thuis had kunnen blijven, maar Lumikki dacht niet dat ze het op dat moment aankon alleen te zijn. Nu klonk rust haar als muziek in de oren. Het klonk als een absolute noodzakelijkheid.

Na de les vroeg meneer Virta of Lumikki nog even in het lokaal wilde blijven. Sampsa haastte zich al naar de volgende les, en dus hield hij alleen even zijn hand bij zijn oor om aan te geven dat ze elkaar zouden bellen. Lumikki knikte naar hem.

'Ik wilde alleen even zeker weten of je deze lente eindexamen gaat doen in psychologie,' zei meneer Virta.

'Dat was ik wel van plan,' antwoordde Lumikki.

'Ik zou het normaal niet vragen, maar je bent verreweg de meest getalenteerde leerling die ik sinds jaren heb gehad. Dat zou ik eigenlijk niet moeten zeggen, maar ik wil toch dat je dat weet.'

Meneer Virta gaf Lumikki een zacht klopje op haar schouder.

'Oké. Bedankt,' zei Lumikki verward.

Ze was opgelucht toen meneer Virta zich over zijn papieren boog ten teken dat het gesprek was afgelopen. Ze was heel hard toe aan slaap.

De deurbel ging net toen Lumikki droomde dat ze Vlam zoende. In haar droom voelde ze hoe tijdens de zoen het messingen sleuteltje van haar mond in die van Vlam gleed.

Ze stond op, nog helemaal slaapdronken. Ze keek door het spionnetje.

Vlam. Natuurlijk. Ze was niet eens verbaasd.

Ze deed open, al had ze zichzelf beloofd dat ze Vlam niet meer bij haar in de buurt zou laten komen. Maar de zoen uit haar droom brandde nog op haar lippen. Eerst zei Vlam niets. Hij trok zijn oranje, vingerloze handschoenen uit en streelde Lumikki met koele vingers zachtjes over haar wang.

'Ik moest gewoon komen,' zei hij toen. 'Sinds onze laatste ontmoeting heb ik het gevoel dat je ergens bang voor bent. Ik moest komen kijken of alles goed is met je. Je weet toch wel dat ik je voor al het kwade in de wereld zou beschermen?'

De woorden raakten Lumikki als pijlen van vuur. Op dat moment brak er iets in haar.

Dat iemand haar zo duidelijk zag. Haar gemoedstoestand zag, die zij zo zorgvuldig verborgen probeerde te houden.

Lumikki pakte Vlams nek beet en trok hem naar zich toe. Ze keek hem in de ogen zo lang ze het volhield. Dook het ijswater in. Sprong het blauw van de hemel in. Stapte in het lichtblauwe, gloeiende, heetste deel van het vuur. Toen kuste ze hem en liet haar lippen, haar mond en haar tong alles vertellen over het verlangen, het gemis, de lust en de hartstocht die haar hadden verscheurd sinds ze uit elkaar waren gegaan.

Zodra de kus begon, wist Lumikki het.

Dit was hun bos. Dit was hun meer. Dit was hun zwartblauwe, heldere sterrenhemel vol lichtpuntjes.

Dat alles bevond zich op dat moment om hen heen. Er was niets verdwenen. Het licht dat tussen de bladeren door zijn smalle weggetjes vond. De rustgevende schemer. Het geruis, geritsel, gekoer, gesuis van de wind, gekabbel van water, zacht deinende golven, koude en warme stromen, het gevoel van gewichtloosheid, de duizeling, oneindigheid, tijd en eeuwigheid, lucht die vrij haar longen in stroomde, de hartslag van het universum, hun gezamenlijke polsslag.

Lumikki kon zich niet herinneren wanneer het voor het laatst zo moeilijk en pijnlijk was geweest om zich los te maken uit een kus. Maar het moest.

Hoe kon iets zo goed voelen en toch zo verkeerd zijn?

'We kunnen elkaar gewoon niet zien. Voorlopig niet in ieder geval. Ik ben nu met Sampsa,' wist Lumikki uit te brengen.

Ze had zichzelf gedwongen een stap naar achteren te doen. De afstand tussen haar en Vlam voelde tergend groot. Ze hoorden zo dicht mogelijk tegen elkaar aan te staan. Maar dat mochten ze niet.

'Hou je van hem?' vroeg Vlam.

Hij stelde de vraag op zo'n ernstige toon, dat Lumikki vond dat hij een eerlijk antwoord verdiende.

'Ik ben er niet zo zeker van of ik nog wel weet wat liefde is,' zei ze.

'Waarom ben je dan met hem? Waarom wijs je mij af? Omdat hij wel een echte jongen is?'

Een gevoel van vermoeidheid welde op in Lumikki.

'Natuurlijk niet. Doe nou niet zo.'

'Als ik niet goed genoeg ben voor je, zeg het dan recht in mijn gezicht. Als ik te onaf ben, niet volmaakt genoeg.'

Lumikki hoorde aan zijn stem dat hij gekwetst en verdrietig was, maar ze kon hem niet troosten. Niet nu.

'Zo is het niet,' zei ze alleen maar.

Hoe had ze Vlam kunnen uitleggen dat juist met hem alles volmaakt had gevoeld? Nooit had ze het gevoel gehad dat er iets ontbrak. Maar ze was nu met Sampsa, die lief en teder en attent en betrouwbaar was. Die nooit haar hart zou breken.

Als ze nog één stap verder het bos in zou lopen, nog een paar slagen verder het meer in zou zwemmen, de sterrenhemel op haar zou laten neerdalen en bezit van haar zou laten nemen, zou ze niet meer weg kunnen komen, dat wist Lumikki. Ze zou die plek nooit meer willen verlaten. En ze dacht niet dat ze het aan zou kunnen als dat alles haar nog een keer werd afgenomen. Dat had Vlam al eens gedaan. Hij was weggegaan en had het bos en het meer en de sterren meegenomen. Ze kon er niet zeker van zijn dat hij dat niet nog eens zou doen. Ze durfde het niet aan zich nog eens pijn te laten doen.

'Dit kun je me niet aandoen,' zei Vlam. 'Ik heb alles doorstaan voor jou. Zodat we weer samen konden zijn. En nu keer je mij de rug toe.'

Jij hebt mij de rug toegekeerd, dacht Lumikki. Maar dit is geen wraak. Ik doe dit niet jou aan. Ik doe dit mezelf aan. Ik straf hiermee vooral mezelf, ontzeg mezelf het geluk, omdat ik te bang ben. Ik kan gewoon niet opnieuw in het diepe springen en voor je vallen. Dat zou mijn dood betekenen. Ik zou gek worden.

Maar in plaats daarvan zei ze alleen maar: 'Je hebt alles doorlopen en doorstaan voor jezelf. En zo hoort het ook. Alleen jij kunt jezelf gelukkig en compleet maken.'

Ze zag de tranen opwellen in Vlams ogen. Ze vormden een trillend laagje voor zijn blik, maar hij wist net genoeg controle over zichzelf te houden om te voorkomen dat ze over zijn wangen zouden rollen. Dat ingehouden verdriet deed Lumikki meer pijn dan wanneer Vlam was gaan huilen. Ze moest haar uiterste best doen om niet haar armen om hem heen te slaan en hem lang, lang te omhelzen.

'Je bent een kil wezen, Lumikki. Ik dacht dat ik je kende.'

Lumikki gaf geen antwoord. Ze had geen woorden. Als Vlam haar haatte of verbitterd was, maakte dat het voor hem misschien makkelijker. Dan zou hij haar gemakkelijker kunnen loslaten.

Toen de voordeur achter Vlam dichtsloeg, begaven Lumikki's knieën het. Ze liet zich op de vloer van de hal zakken en voelde hoe het zwart uit de schaduwen in de hoeken kroop en haar aanviel. Het drong via haar oren en neusgaten binnen, wrong zich door haar keel omlaag, haar longen en buik in, en vulde die met zijn loden gewicht. Ademhalen werd lastig. Het leek of de lucht opraakte.

Uiteindelijk lukte het Lumikki op te staan en naar de keuken te lopen. Ze had nu sterke koffie nodig. Zwarter dan het zwart dat in haar zijn intrek had genomen. Toen ze de koffie afmat, hoorde ze de brievenbus klepperen.

Een angst die haar inmiddels al bekend was, zette zijn puntige tanden in haar nek.

Vast de huis-aan-huisbladen, dacht Lumikki.

Maar op de vloer van de hal lag een wit, dubbelgevouwen A4'tje. Bliksemsnel deed Lumikki de deur open en rende het trappenhuis in. Niemand. Niet eens rennende voetstappen op de trap. De lift stond stil. Ze twijfelde even, maar ging toen weer naar binnen. Ze zou niet op een schaduw gaan jagen. Stel dat ze hem te pakken kreeg. Het was heel goed mogelijk dat dat het ergste was wat kon gebeuren.

Ze had de brief liever niet opengemaakt, maar dat was geen optie. Er stond alleen maar:

*Niemand houdt meer van jou dan ik. Altijd.*

*Als ik jou aanraak, voel ik dat ik leef. Dan is het leven de moeite waard.*

*Ik droom al zo lang van je. Ik heb alle krantenartikelen over je gelezen. Die van afgelopen zomer, toen je mensen uit een brandend huis van een wisse dood hebt gered. Toen ik dat las, dacht ik: je bent een heldin, maar die journalisten kennen jou niet. Zij schreven over je alsof je alleen maar een slim en moedig meisje bent. Zij zagen de bezetenheid in je blik niet.*

*Ik weet dat je net zo bent als ik. Een deel van jou had willen toekijken hoe het vuur het huis en de mensen erin zou verslinden. Je hebt het element van vernietiging in je. Dat verberg je, want het is in onze maatschappij niet geaccepteerd. Maar wij, kinderen van vernietiging en verwoesting, herkennen elkaar.*

*Ik heb erover gefantaseerd wat ik allemaal met je zou doen, als je je volledig aan mij zou overgeven. Hoe ik je aan zou raken. Op manieren waarvan je niet eens had kunnen dromen. Ik weet dat je bij mij je zelfbeheersing totaal zou verliezen. Je zou me smeken te stoppen. Je zou me smeken door te gaan.*

*Als ik jou aanraak, wordt het beest in mij wakker.*

*Maar beesten zijn we toch allebei, mijn lieve Lumikki. Wij zijn het die ze in sprookjes dood willen maken, alleen wij gaan niet dood. We zullen altijd bestaan, in de donkerste hoekjes, achter de bomen, onder de grond, in diepe wateren.*

*Er komt een dag waarop je helemaal van mij zult zijn. Die dag komt sneller dan je kunt vermoeden.*

# 13 DECEMBER
## WOENSDAG

# 12

Lumikki kroop dieper onder de dekens. Ze wilde wel altijd in dit warme holletje blijven, waar ze zich even terug kon trekken uit de grote boze wereld.

Laat de natte sneeuw maar tegen het raam slaan. Laat de kou maar proberen door de kieren in het raam haar huis binnen te komen. Onder de deken was ze in schijnbare veiligheid.

*I play dead*
*It stops the hurting*
*I play dead*
*And hurting stops*

Het was stil in huis, maar Lumikki had een liedje van Björk in haar hoofd. Ze fantaseerde een arm om zich heen, een warme adem in haar nek, een lichaam dat zich tegen haar rug drukte. Ze kon het voelen. Ze voelde een hand over haar schouder strelen. Ze voelde een andere huid tegen de hare. Ze voelde lippen die haar lippen raakten en een kus waardoor ze haar mond opende, zichzelf opende.

*It's sometimes just like sleeping*
*Curling up inside my private tortures*
*I nestle into pain*
*Hug suffering*
*Caress every ache*

Ze voelde Vlam. Zo sterk dat het was of hij echt naast haar lag. Eindelijk zag ze in dat het nu eenmaal zo was. Ze droeg Vlam met zich mee, al waren ze niet samen. Al zouden ze elkaar nooit meer zien. Het was Vlams hand die Lumikki in de hare voelde knijpen als ze 's avonds door het donker liep en bang was. Het was Vlams lichaamswarmte die ze voelde stralen als ze in haar eentje in een luie stoel een boek zat te lezen. Het was Vlams zachte aanraking die haar in slaap streelde als ze alleen sliep.

Niet die van Sampsa.

Sampsa voelde ze als hij bij haar was. Als hij haar aanraakte. Als hij zijn armen om haar middel sloeg en als zijn lippen haar hals verkenden. Dan voelde en dacht ze aan niets anders en waren ze er helemaal voor elkaar. Maar als Sampsa ergens anders was, was hij er niet. Ze voelde hem niet naast zich zoals Vlam.

Was dat verkeerd?

Kon ze zo leven?

Lumikki kon het niet helpen. Ze kon haar gevoelens niet ontkennen of laten verdwijnen. Ze kon Vlams nabijheid niet uitwissen met wilskracht alleen, als dat zelfs niet was gelukt toen ze elkaar meer dan een jaar niet hadden gezien. Het gevoel was niet fout.

Ze kon zelf beslissen wat ze deed. Ze kon haar eigen beslissingen en keuzes maken. Ze had Sampsa gekozen. Zo was het nu eenmaal.

Lumikki gooide de deken van zich af en voelde meteen een rilling van kou. De harde, koele vloer bracht haar lichaam teen voor teen terug in de dagelijkse realiteit. Ze moest de buitenwereld in, naar school, het genadeloze, harde licht van tl-buizen tegemoet, dat de droombeelden weg zou jagen en de herinnering van de aanraking van haar huid zou vegen.

*Aan de hemel stralen de sterren,*
*hun twinkeling brengt ons de kerstnacht.*
*Hemels licht, heugelijke tijding!*
*Ontsteek de kaarsen, ontsteek de kaarsen.*

Langs de trappen van de school was een pad van kaarsen gemaakt. Al het andere licht was gedoofd. In het levende deinen van de vlammen, de zachte dans van het licht zag de school er heel even uit als een sprookjeskasteel of een negentiende-eeuws herenhuis. Lumikki was vergeten dat deze ochtend zou worden begonnen met de Luciaprocessie. De Luciatraditie werd door steeds meer Finnen overgenomen van het Zweedstalige deel van de bevolking.

Het Luciafeest bracht bij Lumikki altijd gemengde gevoelens naar boven. Het had iets warms en vertrouwds, dat een goed gevoel gaf vanbinnen, maar er kleefden ook nare herinneringen aan. Net voordat ze was begonnen op school had Lumikki zich thuis willen verkleden als Lucia. Op de crèche in Riihimäki bestond de traditie toen nog niet. Haar moeder was opgetogen over het idee en had beloofd voor die ochtend speciale Luciabroodjes te bakken. Maar haar vader had haar lang aangekeken, en een grauwheid die alle andere uitdrukkingen bedekte, was over zijn gezicht gegleden.

'In dit gezin wordt geen feest gevierd ter ere van een jonge vrouw die haar eigen ogen uitstak zodat de man die zo bezeten was van hun schoonheid haar niet meer lastig zou vallen. Een vrouw die werd omgebracht met een dolksteek in haar hals, omdat het niet gelukt was haar op de brandstapel te verbranden.'

Lumikki kon zich de woorden van haar vader nog altijd herinneren. Ze wist nog hoe haar enthousiasme op slag was bevroren. Alsof ze hele ijspegels had moeten inslikken. Haar moeder was woest geworden op haar vader, omdat hij tegen een kind over zulke afschuwelijke dingen had gesproken. Lumikki vond haar vaders woorden niet het ergste. Het ergst was zijn blik, die recht door haar heen ging, alsof zij en haar enthousiasme en vreugde helemaal niet bestonden.

Sindsdien had ze nooit meer voorgesteld om Lucia te vieren.

Nu keek ze hoe een groepje schoolmeisjes de trap af kwam in lange, witte jurken, met op hun hoofd kransen die ze hadden geknutseld van groen zijdepapier en met theelichtjes in hun handen. Tinka liep voorop. Haar lange rode haar droeg ze dit keer als een engelachtige wolk van krullen. Toen ze Lumikki voorbijliep, glimlachte ze lief en kneep ze haar ogen een beetje samen.

Toen de processie voortschreed naar de garderobe en het gezang van steeds verder weg klonk, merkte Lumikki dat ze in haar hoofd de woorden in het Zweeds hoorde.

*Stjärnor som leda oss, vägen att finna,*
*bli dina klara bloss, fagra prästinna.*
*Drömmar med vingesus, under oss sia,*
*tänd dina vita ljus, Sankta Lucia.*

Fins was altijd Lumikki's sterkste taal geweest. Zweeds sprak ze maar af en toe, voornamelijk met haar vader en zijn familieleden. Maar toch was Zweeds voor haar de taal van gedichten, van liedjes, die de diepere lagen in haar bespeelde, waar gevoelens huisden die geen naam hadden.

*Drömmar med vingesus.*

*Vingesus.* Hoe kon zoveel moois in één woord passen? Vleugels. Het ruisen van vleugels. Of suizen, als het suizen van de wind, het zachte bruisen van een stroomversnelling of het knisperen van een vuur. Lumikki hoorde het woord, gezongen door een heldere kinderstem. Die kwam haar bekend voor, maar het was niet haar eigen stem van toen ze klein was.

Opeens zag ze de trap van een houten huis voor zich, waar een klein meisje naar beneden liep terwijl ze 'Santa Lucia' in het Zweeds zong. Roosa. Dat moest haar verdwenen zus Roosa zijn. Ze herinnerde zich hoe mooi ze Roosa op dat moment had gevonden, haast hemels, en ze had bedacht dat ze het jaar daarop samen met Roosa wilde zingen. Waarom had ze geen herinneringen van dat volgende jaar? Was er geen volgend jaar geweest?

In haar herinnering gaf Roosa haar een milde glimlach. Zo een als alleen een grote zus kan geven.

De Prins reeg Sneeuwwitje steeds strakker in het korset.

Nog een beetje, dan word je een gehoorzamere echtgenote.

Nog een beetje, dan leer je je zedig en beheerst te gedragen. Je hoort niet meer thuis in het bos, je bent een koningin. Je moet je stappen langzaam en gracieus zetten. Je moet zwijgen als ik spreek. Je mag niet roepen of lachen, dat is geen gepast gedrag. Je hebt mooie jurken en sieraden met edelstenen en gouden kamers. Ik begrijp niet waarom je niet gelukkig bent. Waarom is dit niet genoeg voor je?

De woorden van de Prins weergalmden in Sneeuwwitjes oren. Ze voelde zich benauwd worden. Het korset drukte haar longen ineen. De randen van haar gezichtsveld begonnen te zinderen en wazig te worden.

'Nog iets strakker, en misschien glijd je straks alweer weg in een eeuwige slaap, zodat ik je weer in je glazen kist kan leggen. Daar was je mooier. Je was beter en makkelijker. Ik werd verliefd op de schone maagd in de glazen kist, niet op dit roekeloze, brutale en slechtgemanierde wicht, dat veel te gewoontjes en echt is,' fluisterde de Prins in Sneeuwwitjes oor.

Geen adem.

Geen zuurstof meer.

Lumikki probeerde naar adem te happen. Dat ging niet. Het lukte haar eenvoudigweg niet om haar longen vol lucht te zuigen. Het gevoel te verdrinken. Flauw te vallen. Duisternis, die zijn vleugels uitspreidde voor haar ogen.

Lumikki zakte in elkaar. Haar hoofd kwam met een klap op de vloer terecht. Haar blik gleed over de vloer van het toneel en opeens wist ze weer waar ze het kistje had gezien, waarop de sleutel paste. Het stond in de slaapkamer van haar ouders, onder het bed, bedekt met een lap stof. Daar had ze het jaren en jaren geleden eens gezien, toen ze in de slaapkamer een thermometer was komen halen en die op de vloer had laten vallen, onder het bed. Toen had ze zich afgevraagd wat dat voorwerp onder die donkere deken eigenlijk was. Ze had de stof even opgelicht en een houten kistje gezien.

Op dat moment had ze gemeend zich in een flits iets te herinneren over schatten uit haar kindertijd, maar toen was haar vader of moeder thuisgekomen en was Lumikki verschrikt de slaapkamer uit gegaan, alsof ze iets deed wat niet mocht. Ze had nooit iets over het kistje gevraagd. Natuurlijk niet. Ze had begrepen dat het een geheim betrof, dat haar niets aanging.

Maar nu ging het haar wel aan. Want zij had de sleutel van het kistje. Dat was Lumikki's laatste gedachte voor ze het bewustzijn verloor.

Waterdruppels op haar gezicht. Als een zomerregen. Lumikki deed haar ogen open en zag Sampsa's bezorgde blik.

'Niks aan de hand,' wist ze uit te brengen.

Dat was een leugen, maar op een andere manier dan Sampsa zou denken. Lumikki lag op iets zachts, vast een of andere deken uit het rekwisietenhok, met haar benen omhoog. Het korset was uitgetrokken. Naast haar stonden behalve Sampsa ook Aleksi en Tinka, die een fles water in haar hand had. Hoogstwaarschijnlijk had zij de druppels op Lumikki's gezicht gesprenkeld.

'Ik zei nog: voorzichtig met dat korset,' snauwde Tinka tegen Aleksi.

'Ik had het niet eens heel erg strak aangetrokken,' verdedigde Aleksi zich.

'Daar kwam het niet door,' beweerde Lumikki, en ze krabbelde overeind.

Ze werd licht in haar hoofd, maar weigerde toe te geven aan de duizeling. Nu moest ze de anderen ervan overtuigen dat alles in orde was, want anders zouden ze haar niet laten gaan.

'Ik heb vandaag vast gewoon slecht gegeten. En te weinig geslapen.'

Sampsa en Tinka keken elkaar even aan. Aleksi zag er opgelucht uit. Tinka fronste en keek Lumikki onderzoekend aan. Uiteindelijk constateerde ze langzaam: 'Oké. Dat kan gebeuren. En je staat alweer op je benen.'

Lumikki hoopte dat niemand merkte hoe haar benen trilden. Sampsa streelde haar geruststellend en kalmerend over haar rug. Lumikki kreeg de behoefte om tegen hem aan te leunen en zich door hem te laten ondersteunen, maar dat kon nu niet.

'Laten we er voor vandaag in ieder geval mee ophouden,' besloot Tinka.

'Misschien niet zo'n gek idee,' zei Lumikki. 'Als die scène ermee moest eindigen dat ik zelf de veters van mijn korset openkrijg en het bos in vlucht, dan was dit het niet helemaal.'

Ze was erin geslaagd de anderen even aan het lachen te maken. Mooi.

'Overmorgen dan de generale repetitie. Hé, mensen, dit wordt een geweldige voorstelling!'

Tinka's energie was aanstekelijk en maakte ook bij de anderen enthousiasme los. Geroezemoes vulde de zaal. Aleksi porde Lumikki zachtjes tegen haar schouder en mompelde: 'Sorry.'

'Geeft niets,' antwoordde ze.

'En dan breng ik je nu naar huis om je eens goed te verwennen,' fluisterde Sampsa in Lumikki's oor.

Lumikki maakte zich voorzichtig los uit zijn liefkozende armen.

'Hoe heerlijk dat ook klinkt, ik moet naar Riihimäki.'

Ze probeerde Sampsa recht in de ogen te kijken, al was dat moeilijk.

'Uitgerekend vandaag?' vroeg Sampsa verbaasd.

'We hebben een soort Luciatraditie in onze familie.'

De tweede leugen al. Of in zekere zin niet. Hoewel haar vader had gezegd dat er bij hen geen Lucia zou worden gevierd, organiseerde zijn neef al een paar jaar uitgerekend met Lucia een familiedag in Turku. Lumikki wist dat haar ouders daar vandaag zouden zijn en pas morgenochtend zouden terugkomen. Ze kon in alle rust in haar eentje uitzoeken wat er in het kistje zat.

Sampsa keek teleurgesteld. Lumikki kon zijn verdrietige en ook nog altijd bezorgde blik maar moeilijk aanzien. Maar ze had nu geen keus. Ze moest vanavond nog antwoorden krijgen, of ze zou gek worden.

Ze gaf hem een vlugge kus op de lippen en probeerde er niet aan te denken dat het de kus van een leugenaar was.

# 13

Thuis zijn zonder dat haar ouders het wisten voelde alsof ze iets deed wat verkeerd, verboden was. De weerkaatsing van het geluid van haar stappen tegen de muren klonk vreemd.

Het verkeerde meisje in het verkeerde huis, fluisterde de echo. Een spookmeisje, dat niet in haar eentje door deze kamers hoort te sluipen.

Natuurlijk hadden haar ouders haar toestemming gegeven als ze het had gevraagd, maar ze wilde niet dat zij hiervan wisten. Ze had geen zin in allerlei vragen, die ze weer met leugens had moeten beantwoorden. Ze wilde niet iemand zijn die loog tegen de mensen die haar het dierbaarst waren. Maar de stalker had haar daartoe gedwongen met zijn dreigementen.

Lumikki hoopte dat de Schaduw haar met rust zou laten als ze eindelijk het geheim had ontsluierd. Als zijn obsessie er nu eens voornamelijk mee te maken had dat hij iets wist wat Lumikki niet wist, en het belangrijkste was dat de waarheid aan het licht kwam?

Lumikki legde het stemmetje in haar hoofd het zwijgen op, dat probeerde te fluisteren dat zo'n allesverslindende, gestoorde aandachtzoeker daar waarschijnlijk geen genoegen mee zou nemen.

In de slaapkamer van haar ouders rook het zoals het er in Lumikki's herinnering altijd had geroken. Naar lavendel, schone lakens, een klein beetje naar aarde van de kamerplanten, naar haar vaders aftershave en de oude vitrage, die vroeger bij oma had gehangen. Ze lichtte de sprei, die tot op de vloer hing, aan één kant op en gluurde onder het bed. De deken die ze zich had herinnerd lag er nog. Ze kroop onder het bed. Het was er stoffig. Blijkbaar stofzuigde haar vader niet meer zo manisch als toen ze nog thuis woonde. Gelukkig maar.

Lumikki tilde de deken op. Haar hart bonsde opeens beangstigend hard. Haar handen waren merkwaardig koud en klam. Maar onder de deken stond alleen maar een doodgewone kartonnen doos. Geen versierd kistje. Een bruine doos, met daarin erotische literatuur.

Ze duwde de doos weer terug en legde de deken eroverheen. Er zaten dan wel geheimen in, maar niet die waarnaar ze op zoek was. Het seksleven van haar ouders ging haar totaal niet aan en ze wilde dat ze deze, op zich vrij onschuldige, vondst nooit had gedaan.

Ze kwam hoestend onder het bed vandaan en sloeg het stof van haar knieën. Teleurstelling. Leegte. Had ze het zich misschien verkeerd herinnerd? Had ze het hele kistje dan toch gewoon verzonnen, het zich ingebeeld? Als ze nu zo intensief aan de sleutel had gedacht dat ze zichzelf had wijsgemaakt dat ze zich een kistje met een slot herinnerde?

Nee. Dat was onmogelijk. Dat weigerde ze te geloven.

Waar zou iemand bij haar ouders thuis een kistje verstoppen, dat niet per ongeluk gevonden mocht worden?

Ze doorzocht lades en kasten, de woonkamer en de hal, de kelder en het schuurtje in de achtertuin. Geen kistje. Niet het minste spoortje ervan. De avond was al overgegaan in de nacht. De hoop veranderde langzaamaan in grauwe frustratie.

Denk na, denk na, moedigde ze zichzelf aan, terwijl ze in de woonkamer op de bank zat. Ze wreef zachtjes over haar slapen en probeerde een onherroepelijk opkomende hoofdpijn te verdrijven. Ze haalde de sleutel uit haar zak en hield hem in haar hand.

Sleuteltje, sleuteltje in mijn hand, waar is het slot waarop je past? Leid me naar het kistje.

De sleutel was niets meer dan dood gewicht in haar handpalm. Hij had geen antwoorden.

*Soms is wat je zoekt dichterbij dan je denkt.* Lumikki had altijd een hekel gehad aan zulke zogenaamd diepe vanzelfsprekendheden. Nu hamerde er eentje irritant monotoon in haar hoofd. Waar dan, dichtbij? Onder mijn kont soms?

Nog voor ze die gedachte had afgemaakt, gooide ze de kussens van de bank op de vloer en klapte ze de slaapbank open.

En vond ze het kistje.

Het matras van de slaapbank zat ingeklapt in de bank, waar het uitgetrokken kon worden. Binnen in de bank, tussen het matras en de vloer, bleef een kleine ruimte over wanneer het meubelstuk als zitbank diende. Daar konden bijvoorbeeld dozen met beddengoed in gezet worden. Maar nu stond er een bekend houten kistje. Lumikki haalde het met zwetende handen tevoorschijn. Ze besteedde geen tijd aan het bewonderen van de versieringen erop. De inhoud was belangrijk, niet de buitenkant. Ze kon het sleuteltje nauwelijks in haar vingers houden. Het slot was stroef, alsof het in geen tijden geopend was. Het kostte Lumikki grote moeite, maar uiteindelijk kreeg ze het open.

Ze wist niet wat ze moest verwachten. Ze kon niet zeggen wat ze had gedacht of gehoopt te vinden in het kistje. Plotseling zag ze een jeugd voor zich, die ze zich nooit had herinnerd.

Foto's van een blond meisje met grijze ogen, dat op Lumikki leek, maar toch ook niet. Dat op Lumikki's vader en moeder leek, maar toch ook niet. Roosaroosaroosaroosa. Haar grote zus Roosa. Toen Lumikki de foto's zag, wist ze opeens weer hoe haar zus had geroken en hoe ze ademde als ze sliep en hoe ze Lumikki omhelsde en soms kneep. Roosa's giechelende lach. Haar woedende huilbuien. Hoe ze zong en floot als een nachtegaal.

Foto's van twee meisjes. Een ervan kleiner, met donker haar. Lumikki. Ze zaten naast elkaar. Ze speelden in het strandwater. Ze renden. Ze dansten onder de sproeier. Lumikki keek niet meer naar de foto's. Al haar zintuigen zaten plotseling vol herinneringen.

Aardbeien in de zomer. Roosa gaf haar de grootste en roodste. Bij oma op zolder rook het altijd naar herfst, al was het zomer. Oma's oude schoenen waren te groot voor hen. Ze staken allebei een voet in dezelfde schoen. Het was onmogelijk om te lopen zonder om te vallen. Roosa kreeg snel klitten in haar haar. Lumikki niet. Roosa kamde Lumikki's haar honderd keer, en toen nog honderd. De regen kletterde tegen het raam en zij hadden onder een deken een hut, die helemaal oranje was. Tijdens enge stukjes in tekenfilms deed Roosa haar handen voor Lumikki's ogen en fluisterde in haar oor dat het maar een verhaaltje was. Tussen de rozenstruiken rook het betoverend, maar de doornen prikten. Grote mensen begrepen niets van de leukste spelletjes. Soms moesten ze gewoon de hele vloer van hun kamer natmaken. Omdat het de zee was. Roosa's wangen smaakten zout als ze gehuild had. Lumikki likte het zout ervan af, want ze was een kat. Ze hielden elkaars hand vast en zouden nooit uit elkaar gaan. Ze zouden altijd in hetzelfde huis wonen en altijd op één kamer slapen. Ze waren de allerbeste vriendinnen. Rozenrood en Sneeuwwit. En als ze een boze droom hadden, zouden ze naast elkaar slapen. De ene warme zij tegen de andere. In hetzelfde ritme ademhalen. Als ze heel dicht tegen elkaar aan sliepen, konden de nachtmerries er niet tussenkomen.

Lumikki wist niet hoeveel tijd was verstreken, toen ze eindelijk weer besefte dat ze een achttienjarige was die in de woonkamer van haar ouders op de vloer zat tussen de foto's. Om haar heen lagen tientallen en nog eens tientallen foto's dwars door elkaar. De hele vloer lag er vol mee. Alsof zich boven haar een nieuwe hemel had geopend, waaruit kleurige, rechthoekige sneeuwvlokken waren neergedaald. Lumikki was geen drie meer. Haar hand werd niet meer vastgehouden door haar twee jaar oudere zus Roosa.

Lumikki had het gevoel dat ze overspoeld was door een vloedgolf, die het dak, de vloer en de muren had meegesleurd. De vloed had haar midden in de leegte gesmeten. Nergens was een veilige, stevige ondergrond en alles wat ze had geloofd was een leugen gebleken, zwarte duisternis. Tot op dit moment had ze haar hele leven gedacht dat ze enig kind was, alleen.

Hoe hadden ze haar haar zus kunnen afnemen? Hoe hadden ze geheim kunnen houden dat er iemand was geweest die Roosa heette? En vooral: waarom? Wat was er met Roosa gebeurd?

Lumikki stond op. Ze moest steun zoeken bij de hoek van de bank om te voorkomen dat ze omviel. Ze was duizelig. Misselijk. Ze wilde

huilen. Haar knieën waren slap. Ze tastte op de tafel in de woonkamer naar haar telefoon. Ze moest nu meteen haar ouders bellen. Het
maakte niet uit hoe laat het was. Het maakte niet uit dat ze misschien
al lagen te slapen. Leugenaars. Verraders. Hoe konden ze iemand van
wie ze hielden dit aandoen? Dat kon toch niet? Hoe hadden ze iets zo
ontzettend belangrijks in haar leven voor haar kunnen achterhouden?

Ze moest het vragen.

Nu.

Ze moest te weten komen wat er met Roosa was gebeurd.

Op dat moment kreeg ze een berichtje. Al voor ze het las, had ze
geraden van wie het was.

> *Ik zie je. Je staat daar met je telefoon in je hand. Maar je belt niet,
> want je wilt toch niet dat bloedspatten op de muren de hoofdrol
> zullen spelen in het toneelstuk? Bloed dat over het toneel stroomt.
> Bloed dat de zaal vult. Je wilt toch niet dat je lieve maar domme
> vriendje op het toneel zal vallen en met ontzielde ogen voor zich
> uit blijft staren? En je weet dat het niets zou uithalen als het to-
> neelstuk niet door zou gaan. Ik zou jullie toch wel allemaal vin-
> den en mijn eigen script ten uitvoer brengen. Je bent mooi, zoals
> je daar staat. Iemand die de waarheid heeft gezien is altijd mooi.*

Lumikki deed razendsnel het licht in de woonkamer uit, ook al wist ze
dat dat niets meer uithaalde.

Ze stond stokstijf in de donkere kamer, tuurde de tuin in en spande
zich in om iets te zien. Alleen de duisternis tuurde terug.

Ze liet de hand met daarin haar telefoon langzaam zakken. Ze wist
dat ze niet kon bellen.

*Kennis is heerlijk, maar wreed, lieve Lumikki van me. Met behulp van kennis kun je alles voor elkaar krijgen. Kennis laat ons actie ondernemen, geloven en vertrouwen. Het geeft ons werkelijk macht.*

*Als je de juiste mensen kent, krijg je voortdurend nieuwe informatie en vind je precies wat je zoekt. Ik weet zo veel over jou omdat ik dat wilde. Ik dorstte naar informatie als iemand die nooit genoeg te drinken heeft gekregen. Ik wist de juiste vragen te stellen aan de juiste mensen. Ik heb de wegen en manieren gevonden om aan informatie te komen die geheim had moeten zijn.*

*Niets is geheim voor iemand die zo gulzig naar informatie zoekt als ik.*

*Mensen zijn altijd bereid een uitzondering te maken als je hen ervan weet te overtuigen dat het de moeite loont hun kennis te delen. Soms vereist dat geld, soms andere betaalmiddelen. Meestal is er helemaal geen wederdienst nodig, want mensen willen vertellen wat ze weten, zelfs als dat gevoelig ligt, zelfs als het geheim is. Dat zit mensen in het bloed.*

*Ik heb geduldig informatie over jou verzameld, stukje bij beetje. Ik heb niets overhaast. Ik wist dat ik tijd had, en als de tijd rijp zou zijn, zou jij er klaar voor zijn om mijn informatie in ontvangst te nemen.*

*Kennis maakt sterk.*

*De waarheid maakt mooi.*

*Ik zal je sterker en mooier maken dan wie ook.*

# 14 DECEMBER
## DONDERDAG

# 14

Blijf altijd in het licht, Lumikki.

Dat waren de laatste woorden van haar oma van moederskant aan Lumikki geweest. Toen ze vijf jaar geleden alvleesklierkanker had gekregen, was het snel bergafwaarts gegaan. Lumikki was bij haar op bezoek geweest in het ziekenhuis en had zich dicht over haar heen gebogen, zodat haar oma Lumikki met een droge, gerimpelde hand over haar wang had kunnen strijken. Oma was al jong weduwe geworden en had in haar eentje voor vier kinderen gezorgd. Lumikki was zonder enige twijfel of voorbehoud dol op haar oma geweest, die sterke en tegelijkertijd broze vrouw. Dat gevoel was wederzijds geweest, daar had Lumikki nooit aan getwijfeld. Met haar grootouders van vaderskant was ze minder close. Die woonden op Åland, en Lumikki zag hen minder vaak.

Hoe had ook haar oma voor Lumikki kunnen geheimhouden dat ze een zus had gehad? Lumikki had het gevoel dat ze in een volslagen bizarre nepwerkelijkheid terecht was gekomen, waarin iedereen in een complot tegen haar samenspande. In een grap met een verborgen camera. In een toneelstuk. In een realitysoap die in scène was gezet, waarvan zij als enige niet op de hoogte was.

Blijf altijd in het licht.

Lumikki moest aan oma's woorden denken toen ze langs de Hämestraat uit school naar huis liep. De lichtfiguren van het Lichtfestival van Tampere lieten de hele straat baden in een gele en gouden gloed. Bloemmotieven en sneeuwvlokken, lichtsnoeren die rond takken en boomstammen gewikkeld waren en de kerstverlichting en etalages van de winkels deden vergeten dat mensen in het pikdonker zouden moeten rondlopen als de hele stad opeens zonder stroom zou komen te zitten.

Als er genoeg licht was, meer dan genoeg zelfs, was de duisternis gauw vergeten. Lumikki vroeg zich af of haar oma dat ook had gedacht. Dat de tragedie uit het verleden zou verdwijnen als ze Lumikki's leven zo licht en vrolijk mogelijk zou maken.

Want een tragedie had er in het verleden ongetwijfeld plaatsgevonden. Dat wist Lumikki zeker, nu ze de foto's had gezien. Het onbevattelijke feit dat haar zus voor haar verzwegen was, kon alleen maar enigszins worden verklaard met een grote tragedie.

Lumikki had die nacht geen oog dichtgedaan. Na het sms'je van de stalker had ze alle lichten uitgedaan, alle gordijnen dichtgetrokken, uit de keuken het scherpste mes gehaald dat ze kon vinden en was ze in een hoekje van de bank gekropen om vandoor naar de gang te turen. Ze had haar oren gespitst als nooit tevoren en was opgeschrikt telkens als de wind huilde, als het huis knarste of kraakte, als de natte sneeuw tegen de ruiten kletterde. Ze was zo bang geweest dat ze dacht dat ze zou sterven van angst. Ze had Sampsa of Vlam willen bellen, of haar ouders of de politie, maar dat kon ze niet doen.

De stalker had haar handen gebonden en haar verlamd, haar alle bewegingsruimte en zuurstof afgenomen.

In de zich langzaam voortslepende uren van de nacht had Lumikki geprobeerd te bedenken wie haar stalker kon zijn, maar ze had niet één verdachte kunnen verzinnen die ook maar enigszins in aanmerking kwam. Een of andere gek. Een krankzinnige. Wie kon op de hoogte zijn van het kistje en de foto's en de sleutel? Wie had de sleutel in handen kunnen krijgen? Haar ouders natuurlijk, maar ook al was ze steeds meer gaan twijfelen aan hun liefde voor haar, toch kon ze niet geloven dat zij hierachter zouden zitten. Haar eigen vader en moeder. Nee, dat kon niet.

Ze was niet eens in staat goed na te denken over de identiteit van haar stalker, want ze werd volledig in beslag genomen door de vraag wat er met Roosa was gebeurd, en waarom. Dat voelde nu als het allerbelangrijkste. Ze moest er een antwoord op krijgen, voor ze ergens anders aan kon denken.

De stalker had haar de sleutel gegeven, maar toch had hij het grootste slot dicht gelaten. Lumikki besefte dat ze aan zijn genade was overgeleverd. Ze wist zeker dat hij het antwoord had.

Toen de ochtend eindelijk zijn grauwe, vermoeide blik op het noordelijk halfrond had gericht om een nieuwe decemberdag aan te kondigen, was Lumikki met verstijfde ledematen van de bank gekropen, waarbij ze bijna flauwviel. Ze had het mes teruggelegd in de keuken en alles zo opgeruimd dat het eruitzag alsof er niemand in het huis was geweest. Ze had iedere beweging mechanisch uitgevoerd. Soms moest je nu eenmaal op de automatische piloot handelen, als je niet anders kon.

Doe alleen wat je moet doen. Sluit al het andere buiten.

Dat had Lumikki gedacht, toen ze in de ochtendtrein naar Tampere zat, toen ze thuis andere kleren aantrok, snel een kop koffie dronk en vervolgens naar school liep. Normale dingen, het gewone leven, alsof er niets bijzonders aan de hand was. Om haar heen gingen mensen op in het leven van alledag, haastten ze zich naar hun werk of naar school. Lumikki had het gevoel dat ze hen van achter glas bekeek, vanuit een glazen kist. Erbij, maar toch ook niet.

Er was eens een meisje dat niet bestond.

Roosa, die gewoon uitgewist was. Lumikki, die rondliep en ademde en er vast ook wel uitzag als een levend wezen, al voelde ze zich vanbinnen gitzwart. Alleen het omhulsel van een mens.

Op school was ze als eerste Henrik Virta tegengekomen, die haar bezorgd had aangekeken.

'Je bent toch niet ziek?' had haar psychologieleraar gevraagd.

'Nee, een beetje wintermoeheid alleen maar,' had ze geantwoord.

'In deze tijd van het jaar moet je ervoor zorgen dat je genoeg daglicht en slaap krijgt,' had meneer Virta met een warme glimlach gezegd.

Lumikki had alleen maar geknikt. Meteen daarna was ze Sampsa tegengekomen, die nog bezorgder was geweest bij het zien van haar uitgeputte aanblik.

'Het is een beetje laat geworden,' had Lumikki gelogen.

Ze had gedacht dat ze zou overgeven als ze nog een leugen moest vertellen.

'Die wilde feesten van die Zweedstaligen ook altijd,' had Sampsa gegrijnsd.

Daar ergens moest hun ruzie zijn begonnen. Lumikki had zich ge-ergerd aan wat Sampsa zei en aan zijn glimlach en zijn toon en verder sowieso aan alles. Ze was boos geworden toen hij had gezegd dat hij na zijn eigen schooldag in de bibliotheek op haar zou wachten, zodat ze samen naar haar huis konden lopen.

'Ik ben zo moe dat ik na school alleen maar een Zweedstalig dutje wil doen, alleen in mijn Zweedstalige bed,' had ze gezegd.

'Ik beloof je dat ik heel stil zal zijn en je niet zal storen,' had Sampsa kalm geantwoord.

'Nee. Vandaag wil ik alleen zijn.'

'Dat wil je tegenwoordig wel erg vaak.'

'Zo ben ik nu eenmaal. Dat wist je toen je iets met mij begon.'

'Af en toe lijkt het wel alsof ik een nogal klein en onbeduidend deel van je leven ben.'

Lumikki had het verdriet in zijn blik gezien, en als de situatie anders was geweest, had dat haar pijn gedaan. Maar niet vandaag. Ze was zo moe en bang en voelde zo'n enorme last op haar schouders dat Sampsa's verdriet alleen als een beschuldiging had gevoeld.

Wat had ze kunnen zeggen? Ik wil je niet bij me in de buurt, want alles wat ik tegen je zeg is een leugen. Ik lieg tegen je om je te beschermen, maar vandaag ben ik daartoe niet in staat. Je kunt me niet redden. Dat kan niemand.

Ze had de hele schooldag in een ondoordringbare, zwarte nevel gezeten. Nu liep ze de Hämebrug over, onder een erehaag van lichtpaarden door. Dat had Lumikki altijd het mooiste van het hele lichtfestival gevonden. De paarden die op hun achterbenen stonden en met hun voorste hoeven in de lucht tastten. Je kon ze bijna horen hinniken.

Blijf altijd in het licht.

Ze zou niet kunnen ontsnappen aan de duisternis voor ze het wist.

Lumikki besloot dat het tijd was om de eerste keer zelf contact op te nemen met haar stalker. Ze haalde haar telefoon tevoorschijn en stuurde een berichtje naar de sms-dienst die hij had gebruikt.

*Ik wil je ontmoeten.*

Ze hoopte dat dat signaal sterk genoeg zou zijn voor de Schaduw. Als ze iets had begrepen van hoe zijn geest in elkaar stak, zou hij de verleiding niet kunnen weerstaan, dacht ze.

Ze wist dat ze een gevaarlijk spel speelde, maar ze moest en zou weten wie hierachter zat.

Bij haar voordeur wachtte haar een verrassing. Sampsa. Hij zat op de trap met een picknickmand naast zich.

'Als je wilt, ga ik weg. Maar ik denk echt dat iets te eten en bijvoorbeeld een nekmassage je goed zouden doen.'

Hij zag er zo aandoenlijk en schattig uit met zijn grote, groene muts en hoopvolle ogen, dat Lumikki's hart brak. Waar had ze zulke onzelfzuchtige, onwankelbare liefde aan verdiend?

'Wil je echt midden in december met me gaan picknicken?' vroeg ze.

'Natuurlijk. Ik heb een kleed en alles bij me. Daar is je vloer groot genoeg voor.'

Sampsa grijnsde. Lumikki pakte de kraag van zijn jas vast en gaf hem een zachte, lange kus, want op dit moment verdiende hij die meer dan wie ook ter wereld.

Binnen spreidde hij inderdaad een deken uit op de vloer en haalde hij stokbrood, verse kaas, druiven en chocolademuffins tevoorschijn. Hij zette een cd met moderne Finse volksmuziek van Sanna Kurki-Suonio op. Hij vroeg Lumikki te gaan zitten, smeerde een broodje voor haar, schonk een glas rode wijn in en legde zijn handen op haar schouders.

'En dan ga je nu alleen maar genieten,' fluisterde hij in Lumikki's oor.

Lumikki sloot haar ogen. Sampsa was zo goed en zo lief dat ze bang was dat ze in tranen zou uitbarsten.

*Ik ken de storm, de storm en de stilte*
*ik ken de schaduw, de schaduw aan de overkant*
*Waar ga ik heen, waar zal ik heengaan*
*als eindelijk mijn tijd gekomen is*
*Ik pas niet, pas niet in het gat in de grond*
*zonder ziekte, zonder ziekte waaraan ik bezwijk*
*ik zal niet zinken, zinken in het moeras*
*zonder de dood, als de dood mij niet velt*
*Ik zou liggen, blijven liggen maar niet slapen*
*en water drinken, drinken zonder dorst*

De melodie en de tekst van het liedje, Sampsa's tedere aanraking, de warmte van de rode wijn in haar aderen. Samen hulden ze Lumikki in een zachte sprookjeswereld van wattenbollen. Als ze nu eens gewoon hier kon blijven? Als ze nu eens al het andere kon vergeten? In ieder geval eventjes?

Sampsa's massage was zacht een aangenaam. Toch kon Lumikki het niet laten aan andere handen te denken, die heel anders voelden op haar huid, elektrisch, en die met niets meer dan een paar lichte strelingen genotsimpulsen door haar hele lichaam stuurden. Vlam. Ze dacht aan Vlam, al had ze nu juist aan hem niet mogen denken. Dat was niet eerlijk tegenover Sampsa.

Op hetzelfde moment bliepte haar telefoon dat ze een sms'je had. Ze strekte haar hand ernaar uit.

'Kun je er straks niet naar kijken?' vroeg Sampsa.

'Het kan niet wachten,' antwoordde Lumikki, en ze boog zich voorover om haar telefoon te pakken.

Sampsa's handen gleden van haar schouders. De wattenbollenwereld was toch al vervlogen en Lumikki's hart bonsde vol angst en hoop in haar oren. Maar het berichtje was niet van de stalker. Het was van Vlam.

*Ik denk de hele tijd aan je. 's Morgens zodra ik wakker word en 's avonds voor ik in slaap val. En alle tijd daartussen. Ik hou nog steeds van je. Ik zal altijd van je blijven houden.*

Lumikki voelde hoe ze rood werd. Konden ze zo'n sterke band hebben, dat wanneer zij aan Vlam dacht, hij dat aanvoelde? Lumikki stond op. Ze liep naar de keuken.

'Van wie was het?' vroeg Sampsa.

'Van mijn moeder. Ik heb een shirt bij hen thuis laten liggen.'

Leugen, leugen, leugen, leugen. Weer een leugen. Lumikki had instinctief de keukenla opengetrokken waarin ze de drakenbroche bewaarde die ze van Vlam had gekregen, en die vastgepakt. Haar vingers streelden over de mooie schubben op het sieraad. Kon ze het maar op de kraag van haar jas spelden en vol trots dragen. Waarom kon haar leven niet zo simpel zijn?

Lumikki hoorde dat Sampsa opstond. Ze verstopte de broche snel in haar zak. Daarna verwijderde ze Vlams sms'je. Als ze echt had gedaan wat juist was, zou ze ook meteen zijn telefoonnummer hebben gewist. Maar dat kon ze nog niet.

*Kom, mijn vriend*
*leid me naar een plek*
*waar slangen en schorpioenen zijn*

*Kom, mijn vriend*
*leid me naar waar*
*doornen je aan flarden scheuren*

*Kom, mijn vriend*
*leid me, misleid me*
*want ik wil misleid worden, misleid tot het juiste*

De stem van Sanna Kurki-Suonio vulde Lumikki's oren.

'Mag de muziek uit?' vroeg ze aan Sampsa.

'Natuurlijk. Wat wil je doen?'

'Slapen,' antwoordde Lumikki zonder Sampsa in de ogen te kijken, en ze liep naar het matras.

Ze was opeens zo moe dat ze niet meer op haar benen kon staan. Ze liet zich vallen op het matras met haar kleren nog aan, wikkelde het dekbed om zich heen en viel onmiddellijk in slaap.

Lumikki wist niet meteen wat haar had gewekt. Ze keek naast zich. Sampsa sliep als een blok. Lumikki kwam op haar ellebogen overeind en keek om zich heen. Sampsa had de picknickspullen opgeruimd en het kleed opgevouwen. Lumikki had zo diep geslapen dat ze niets had gehoord.

Pas toen ze op haar telefoon keek hoe laat het was, besefte ze dat ze was gewekt door een sms'je. Het was 22.15. Deze keer was het berichtje van de Schaduw.

> *Kom naar het pretpark. Dat is de juiste plek voor onze ontmoeting. Daar zal ik je alles vertellen.*

*Ook als ik je niet daadwerkelijk kan zien, kijk ik vaak naar je. Daarvoor heb ik een speciale ruimte, voor mij alleen. Ik heb foto's van je. Die heb ik stiekem genomen. Op die foto's zie je er zo schattig en in gedachten verzonken uit, terwijl je dacht dat niemand je zag. Ik heb ze opgehangen aan de wanden van mijn geheime kamer. Ik streel met mijn vinger over je voorhoofd. Ik raak de welving van je volle onderlip aan en bedenk hoe ik je zou kussen.*

*Ik heb ook alle krantenartikelen over je bewaard. En verder beschik ik over talloze documenten waarvan jij nog niet eens weet dat ze bestaan. Op één wand heb ik een tijdbalk van je leven gemaakt. Je hebt al veel meegemaakt.*

*Dacht je dat je die oranje want van je was kwijtgeraakt? Ik heb hem. Net als je zilveren pen en een knoop die van je witte shirt is gevallen. Dat zijn mijn kleine schatten, die ik liefkoos nu ik jou nog niet kan liefkozen.*

*Soms neem ik kaarsen mee naar mijn 'Lumikki-kamer' en praat ik tegen je. Ik kijk hoe de gloed van de vlammen je wangen doet blozen op de foto's. Je bent zo mooi. Je bent het mooiste wat ik ooit heb gezien.*

*Maar de foto's zijn niet genoeg. De kleine voorwerpen zijn alleen maar een surrogaat.*

*Ik wil je helemaal, met al mijn zintuigen. Ik wil je zien, ruiken, proeven, aanraken. Ik heb nog nooit zo sterk naar iets of iemand verlangd. Je bent mijn levensdoel en de zin van mijn bestaan, Lumikki van me.*

# 15

Lumikki klom over het hek van het pretpark en hoopte dat ze zo niet een of ander alarm in werking zou zetten. Het was gaan vriezen en het bevroren hek was glad. Gelukkig bereikte ze de andere kant van het hek zonder dat er iets begon te loeien. Alles was bedekt door een laagje rijp, dat schitterde als toverstof. Verder bood het verlaten, stille pretpark een dreigende en spookachtige aanblik. De onverlichte attracties doemden donker op in de nacht, als geleedpotige monsters. Ze stonden stil, maar zagen eruit alsof ze zich elk moment uit de grond konden lostrekken en beginnen te lopen. De zweefmolen zou wild kunnen gaan draaien en de kettingen van de schommels zouden kunnen breken en de schommels zouden alle kanten op vliegen. Het vliegend tapijt zou kunnen opstijgen en op het Näsimeer landen, klotsend in de golven verdwijnen.

Attracties die 's winters verlaten waren, hun winterslaap sliepen. Die moest je niet wakker maken, want dan zouden ze boos kunnen worden.

Het was Lumikki weer gelukt om van huis weg te gaan zonder Sampsa wakker te maken. De jongen was gezegend met een talent om diep te slapen. Deze keer had Lumikki minder haast gehad om te vertrekken en had ze niet eens een briefje achtergelaten. Ze kon niet het risico nemen dat ze hem daardoor wakker had gemaakt. Ze moest en zou de Schaduw ontmoeten. Ze wilde duidelijkheid, antwoorden.

Nu was ze in het pretpark, maar de stalker was nergens te zien. Lumikki was het verstoppertje spelen zat.

'Ik ben hier!' schreeuwde ze zo hard ze kon.

De echo stuiterde heen en weer tussen de attracties. Niemand antwoordde.

*Kom naar het lunapark.*

Een sms'je. Alweer. Waarom liet de stalker haar nog steeds van hot naar haar rennen? Ze was toch al hierheen gekomen? Ze was klaar voor de ontmoeting.

De deur van het lunapark stond open. 'Hallo?' riep Lumikki naar binnen. Ze hoorde niets. Ze ging naar binnen. Een lastig hellende vloer, een kabelbaan, een zachte ondergrond waarin ze wegzonk, een kamer vol lachspiegels, waarin ze er lang of kort uitzag, dik of dun als een sliert spaghetti. Lumikki kende het lunapark goed. Ze kon er snel doorheen rennen. Ook door de pikdonkere gang en het glazen doolhof. En aan het einde van de glijbaan.

Een volgend berichtje.

> *Goed zo. Nu ben je die rare fase doorlopen die de kindertijd wordt genoemd. Die is scheef en vervormd, herinneringen zijn niet helemaal betrouwbaar, spiegels liegen. Het is tijd dat je verdergaat naar de Tornado.*

Lumikki was inmiddels al gefrustreerd en wanhopig. Ze had ermee op willen houden. Maar misschien was dit dan echt de laatste etappe. Misschien zou ze haar antwoorden krijgen als ze de opdrachten had uitgevoerd.

De Tornado was de wildst ronddraaiende attractie van het pretpark, een soort extreme achtbaan. De bezoekers van de attractie suisden in karretjes razendsnel over de rails, af en toe ondersteboven. Er zat ook een enorme loop in, waarin je helemaal over de kop ging.

De volgende instructie.

> *Klim langs de rails van de Tornado.*

De stalker was echt niet goed bij zijn hoofd. Je moest wel gek zijn om in een achtbaan te klauteren. Maar dat was Lumikki, want ze deed wat haar werd opgedragen.

Het was lastig om langs de met ijs bedekte rails te klimmen. Het metalen oppervlak was glad en hard en ze kon er moeilijk grip op krijgen. De eerste meters kon ze nog over de vlakke rails kruipen, maar zodra die omhooggingen, werd de klim haast onmogelijk. Al na een paar meter was Lumikki bijna aan het eind van haar krachten. Ze kroop op haar knieën over de rails, hing eraan waar de achtbaan lastige draaien en bochten maakte, hield haar benen er als een tang omheen geklemd. Af en toe trok ze zich alleen aan haar armen omhoog. Ze zette de tanden op elkaar en gaf niet op. Ze maakte de vergissing naar beneden te kijken. Ze was hoog. Veel te hoog. Hoe hoog wilde de stalker dat ze klom? Lumikki deed even haar ogen dicht en haalde diep adem. De ijzige wind geselde haar jukbeenderen. Dit was waanzin. Ze zou elk moment dood kunnen vallen.

Opeens riep iemand beneden: 'Lumikki!'

Die stem zou ze overal hebben herkend. Maar toch kon ze moeilijk geloven dat het zo was. Ze keek even naar beneden. Jawel, ze had het goed gehoord. Vlam.

'Kom naar beneden! Voorzichtig!'

Plotseling was al het gevoel in haar armen, benen, wangen en hart weg. Vlam. Degene van wie ze het meest hield in de hele wereld. Degene die ze, dan toch, het meest vertrouwde van iedereen. Was Vlam …? Kon hij …? Het lukte haar niet de gedachte af te maken. Maar welke andere verklaring kon er zijn?

Op dat moment hoorde ze een tweede stem. Bijna even bekend.

'Waar ben je nou helemaal mee bezig? Kom naar beneden voor ik de brandweer bel!'

Sampsa.

Lumikki begreep er niets meer van. Hoe konden Vlam en Sampsa allebei hier zijn? Haar krachten namen nog verder af. Ze besloot naar beneden te klimmen. Dat was nog moeilijker dan omhoog. Het metalen oppervlak probeerde haar handen te ontglippen. Ze sloeg haar been om de rand van de rails, maar gleed eraf. Ze bleef hangen aan niets dan haar armen.

Lumikki voelde haar handen slippen.

Gelukkig waren Sampsa en Vlam al toegesneld om haar op te vangen. Heel even werd ze door hen allebei vastgehouden, door hun beider armen beschermd. Beschermd, of gevangen. Lumikki wist niet meer welke van die twee juist was. Ze maakte zich los uit hun greep en deed een paar stappen terug.

'Wat doen jullie hier in godsnaam?' vroeg ze.

'Dat kunnen we net zo goed aan jou vragen,' antwoordde Vlam uitdagend.

'Ik vroeg het als eerste, dus moeten jullie als eerste antwoord geven.'

Lumikki bleef Vlam recht in de ogen kijken. Vlam keek als eerste weg.

'Oké. Ik was aan het rondhangen bij jouw huis, omdat ik niet kon slapen. Ik denk dat ik hoopte in ieder geval een glimp van je op te vangen, achter je raam bijvoorbeeld,' bekende Vlam. 'En toen ik zag dat je naar buiten ging, besloot ik achter je aan te gaan.'

Hij klonk oprecht. Maar Lumikki wist niet zeker of ze überhaupt nog ergens op kon vertrouwen. Ze wendde haar blik tot Sampsa.

'En jij?'

'Ik las het berichtje dat je had gekregen. Je was niet meteen wakker geworden. En toen je wel wakker werd, deed ik alsof ik sliep en kwam ik je achterna. Ik heb al een tijdje de indruk dat je iemand anders hebt.'

Sampsa zag er aanvankelijk gegeneerd uit, maar stak toen standvastig zijn kin naar voren.

'En blijkbaar had ik gelijk. Je bent hierheen gekomen voor hem.'

Sampsa gaf dat laatste woord een minachtende klemtoon, en knikte in de richting van Vlam.

'Niet,' zei Lumikki.

'Waarom dan?'

Lumikki gaf geen antwoord. Ze was in de war. Sprak Vlam de waarheid? Sprak Sampsa de waarheid? Was geen van beiden de stalker? Of waren ze het allebei? Speelden ze onder één hoedje?

'Hoe dan ook, het is vrij duidelijk dat jij hier niet meer gewenst bent,' zei Vlam tegen Sampsa.

Sampsa draaide zich naar Vlam toe en deed een stap te dichtbij, drong Vlams persoonlijke cirkel binnen.

'Mag ik je eraan herinneren dat Lumikki mijn vriendin is?' zei Sampsa.

'Die mij een paar dagen geleden nog heeft gezoend.'

Sampsa keek Lumikki aan met een blik die vroeg of het waar was. Ook nu antwoordde ze niet. Maar haar ogen zeiden genoeg. Sampsa gaf Vlam een duw.

'Verdwijn uit ons leven!' gromde hij hem toe. 'Je hebt haar al een keer verlaten. Je hebt je kans gehad.'

Vlam glimlachte scheef en gaf hem een lichte por terug, alsof hij maar een spelletje speelde.

'Ware liefde maalt daar niet om. Lumikki en ik horen bij elkaar. Dat is het lot.'

'Je gebruikt nogal grote woorden, gezien het feit dat je niet mans genoeg was om bij Lumikki te blijven,' merkte Sampsa op.

'O, is dit het moment waarop we uitzoeken wie van ons een echte man is?'

Plotseling hielden Vlam en Sampsa elkaar in een houdgreep. Ze blaften elkaar scheldwoorden toe, waarbij ze tussendoor schreeuwden dat Lumikki eigenlijk alleen van de een hield en niet van de ander. Lumikki zag het doodmoe aan, en voelde zich weer alsof ze achter glas stond. Ze moedigde geen van beiden aan en wenste geen van beiden de overwinning toe. Ze vond het hele gevecht zo zinloos en stom. Kinderachtig.

'Ik heb hier nu echt helemaal geen zin in,' verzuchtte ze. 'Voor mijn part slaan jullie erop los tot het einde der tijden. Ik ga naar huis. En kom me vooral niet achterna, allebei niet.'

Toen zette ze het op een lopen, zonder achterom te kijken. Ze wilde voelen hoe haar vermoeide spieren zich inspanden om het rennen vol te houden. Ze wilde dat de vrieslucht haar longen afranselde. Ze wilde op z'n minst iets wat deze mist van onwetendheid uit haar hoofd zou verjagen.

Was het mogelijk dat je gek werd zonder het zelf te beseffen? Was dat misschien zelfs de meest voorkomende manier van gek worden? Wat als ze zelf de greep op de werkelijkheid was verloren? Als ze zich alles alleen maar had ingebeeld? En wat als er helemaal geen brieven waren geweest? Geen berichtjes? Geen stalker?

Wat als alles tussen haar oren zat, het resultaat van haar eigen gekte was?

Lumikki sprong tegen het hek op, zocht houvast met haar vingers en de neuzen van haar schoenen en klom eroverheen. Ze rende verder. Ergens bij de haven van Mustalahti riep iemand haar na: 'Hé, meisje, kom met ons mee feesten!'

Een groep mannen van middelbare leeftijd, die blijkbaar van een kerstborrel kwamen. In ieder geval aan de kerstmanmutsen en rode neuzen te zien. Lumikki rende gewoon door. Ze wilde wegrennen van alles, weg van haar leven, van de waanzin die haar dagelijkse realiteit was geworden.

Nog altijd geen definitieve antwoorden. Geen duidelijkheid over de identiteit van haar stalker.

Toen Lumikki haar voordeur opendeed, had ze het liefst op de vloer in elkaar willen zakken en huilen. Hoeveel kon één mens verdragen? Hoe zwaar moest haar last zijn? Waar lag de grens, wanneer zou ze gewoonweg instorten?

Ze was zo in de war dat ze pas te laat doorkreeg dat er bij haar thuis een geur hing die er niet hoorde. Toen ze dat besefte, werden haar handen al in een sterke greep op haar rug vastgehouden, werd haar mond geblokkeerd door een leren handschoen en haar mouw werd opgestroopt.

Het laatste waarvan ze zich bewust was, was een scherpe naald in haar blote arm, die iets in haar ader spoot.

Toen verdween de wereld en werd alles zwart.

# 15 DECEMBER
## VRIJDAG, VROEG IN DE OCHTEND

# 16

Een schaduw zweefde af en toe verder weg en dan weer dichterbij. De contouren ervan waren onduidelijk en onvast. Ze kon de vorm ervan niet duiden.

Lumikki probeerde haar ogen te focussen. Alles was zo wazig. Ze had pijn in haar hoofd, en haar armen en benen voelden zwaarder dan de zwartste nachtmerries. Haar ogen vielen bijna dicht. Ze dwong ze open te blijven.

Lumikki lag op haar rug. Ze bewoog haar linkerarm opzij, maar stuitte op een obstakel. Hetzelfde bij haar rechterarm. En haar benen. Ze kon maar net haar ene hand omhoogsteken, alleen maar om te voelen dat daar ook iets in de weg zat. Vreemd. Ze kon wel opzij en omhoog kijken. Of dat had ze gekund, als alles niet in mist gehuld was. Mist in haar ogen, mist in haar hoofd, waar haar gedachten ook al geen scherpe vorm kregen.

'*Het duurde niet lang, of ze opende haar ogen.*'

De stem klonk van boven haar. Het was de stem van de Schaduw die rond haar bewoog. Lumikki besefte vaag dat de stem haar bekend voorkwam, maar ze kon niet precies zeggen waarvan.

'Ik wist dat je sterker zou zijn dan een prinses uit een sprookje. Geen enkel vergif werkt lang bij jou. Je bent een vechter. Je vecht al je hele leven. Je hebt ook tegen mij dapper gevochten. Je hebt je angst niet laten zien. Je hebt niemand erover verteld.'

De mist in Lumikki's hoofd begon een klein beetje op te trekken. Eindelijk snapte ze wat de trage, moeizame bewegingen van haar armen en benen belemmerde. Ze lag in een kist. De glazen kist uit het toneelstuk.

'Maar nu is het gevecht voorbij,' ging de stem van de Schaduw verder. 'Je hoeft je niet meer te verzetten. Je kunt je volledig overgeven en de mijne zijn.'

Lumikki probeerde te gaan zitten. Ze had het gevoel alsof iemand haar aders had volgespoten met zwart lood, waardoor ze zich niet normaal kon bewegen. Haar hoofd botste tegen het glazen deksel van de kist. Ze spande zich in, kreeg haar armen omhoog en probeerde het deksel omhoog te duwen.

Dat had makkelijk moeten zijn. Dat wist ze. Ze had het talloze keren gedaan tijdens de repetities voor het toneelstuk. Nu gaf het deksel geen millimeter mee.

'Och, arme Lumikki. Soms kom je in het leven verrassingen tegen. Niet alles gaat zoals je het je had voorgesteld. Soms kom je moeiteloos de glazen kist uit. Maar dit is geen toneelstuk. Dit is geen sprookje. Dit is echt. En in de werkelijkheid is het deksel van de glazen kist natuurlijk vastgeschroefd.'

Lumikki probeerde haar haperende brein te dwingen de stem te herkennen. Die was zo bekend. Ze moest het weten. Ze moest op de naam kunnen komen.

De naam die ze zo goed kende.

De naam die ze zo vaak gezegd had.

Maar haar brein werd innig omhelsd door de nevel, en de naam schoot haar niet te binnen. Ze wist wel meteen dat de stem niet loog. Het deksel was daadwerkelijk vastgeschroefd.

'Wat ook als een verrassing kan komen, is dat een dichtgeschroefde glazen kist volledig luchtdicht is. Als ik jou was, zou ik dus spaarzaam ademhalen. Er is niet voor eeuwig zuurstof. En ik weet zeker dat je de hele tijd bij je positieven wilt zijn als ik je vertel wat ik allemaal over je weet.'

Lumikki ging weer liggen. Ontspan, commandeerde ze zichzelf. Haal maar een klein beetje adem. Wees kalm en beheerst. Anders kom je hier nooit levend uit.

Je komt hier nooit levend uit.

De doodsangst kroop langs haar nek, toen ze die woorden hoorde in haar hoofd. Ze zouden best eens waar kunnen zijn.

'Ik neem aan dat je al mijn brieven hebt gelezen, dus je weet heel goed dat ik het een en ander over je weet. Ik ben al lang informatie over je aan het verzamelen. Ik heb je gevolgd en in de gaten gehouden, geschaduwd en in het oog gehouden, ik heb je bespioneerd en elke stap die je zette gezien. Dat heb ik gedaan omdat ik al vroeg het gevoel had dat wij op elkaar lijken. In ons huist de duisternis.'

Lumikki werd misselijk. Ze wist niet of dat kwam door de woorden die de stem uitsprak, of door een of ander middel waarmee ze hoogstwaarschijnlijk gedrogeerd was. Ze probeerde steeds regelmatiger en oppervlakkiger te ademen. Haar hartslag te laten dalen tot rustniveau.

'Misschien ben je geschrokken van mijn woorden over bloed en moord. Ik heb een paar keer je gezicht gezien toen je mijn brieven las. Je zag er geschokt en bang uit. Helemaal niet nodig. Ik had je nooit zulke dingen geschreven als ik niet had geweten dat jij ook een moordenares bent. In feite ben jij van ons tweeën de enige die iemands dood op haar geweten heeft. Ik smul alleen van de gedachte dat ik zou doden. Ik denk dat het onvermijdelijk is dat ik ooit mijn droom zal verwezenlijken. Maar tot nu toe is het nog nooit zover gekomen. Als jij stommer was geweest en over de brieven en berichtjes had verteld, had ik mijn dreigement uitgevoerd. Dan had ik een gerechtvaardigde reden gehad. Wat is jouw gerechtvaardigde reden, mijn liefste? Alleen het verlangen om te doden? Een aangeboren slechtheid? Maak je geen zorgen, beide verklaringen vind ik even opwindend.'

De Schaduw sloop rond de glazen kist als een roofdier rond zijn prooi. Zich afvragend wanneer hij zou toeslaan, en waar. Zou hij zijn tanden eerst in haar been zetten, in haar arm of haar keel?

'Ik weet niet of je zo'n goede actrice bent, of het echt niet meer weet. Ik denk dat je geheugen uiteindelijk met mijn brieven begonnen is terug te keren. Je bebloede handen. Hoe je je zus, Roosa, doodde.'

Lumikki's hartslag schoot meteen omhoog tot panieksnelheid. Kon de Schaduw het echt weten?

Was het waar? Had ze echt haar zus vermoord?

'Lumikki toch, wat ben je bleek. Misschien wist je het niet meer. Hoe je met een scherp mes je zus in haar buik stak en er onaangedaan naast stond te kijken hoe ze doodbloedde. Je haalde de oppas er niet bij. Zij kwam pas toen het al te laat was. Ik heb alles gelezen in het rapport van het gerechtelijk onderzoek.'

Lumikki's benevelde gedachten en zintuigen werden wat het heden betrof geen greintje helderder, maar door de zinnen van de Schaduw herinnerde ze zich opeens wel heel duidelijk het verleden. Ze sloot haar ogen en was weer drie jaar.

Lumikki was drie en Roosa vijf. Papa en mama waren ergens anders, misschien naar het theater, en als oppas hadden ze het verveelde tienermeisje van de buren, Jennika. Die avond had Jennika ruzie met haar vriendje, en die ruzie probeerde ze telefonisch op te lossen, soms met het vriendje, dan weer met haar vriendinnen en dan weer met de vrienden van de jongen. Als avondeten kregen Lumikki en Roosa lauwe stukken ovenpannenkoek met aardbeienjam.

'Waarom zou jij zogenaamd het recht hebben andere meisjes af te lebberen en ben ik meteen een hoer als ik alleen maar met een andere jongen praat?' snauwde Jennika nijdig in de telefoon, deze keer tegen haar vriendje.

'Wat is een hoer?' vroeg Lumikki.

'Dat is een meisje dat heel veel vriendjes heeft,' antwoordde Roosa met de zelfverzekerdheid van een grote zus.

Jennika keek hen vermoeid aan.

'Let op haar,' beval Jennika Roosa, en ze wees op Lumikki. 'Proberen jullie elkaar een paar minuten niet in de haren te vliegen.'

Toen ging Jennika naar boven om in alle rust te kunnen praten.

Er was veel te veel aardbeienjam voor de kleine stukken pannenkoek, en er bleef jam over op de borden.

'Kom, we gaan dood spelen!' bedacht Roosa.

'Hoe moet dat?' vroeg Lumikki.

'Zo,' deed Roosa voor, en ze smeerde aardbeienjam op de borst van haar witte nachthemd. 'Dit is bloed.'

Lumikki deed haar na. De jam was glibberig en er viel een beetje op de vloer. Haar handen werden plakkerig. Lumikki moest lachen. Maar Roosa was nog niet tevreden.

'We moeten een wapen of zo hebben, waardoor we bloeden,' vond ze, en ze liep naar de bestekslade.

Lumikki schrok toen ze in Roosa's hand een scherp mes zag.

'We mogen niet aan de messen komen,' fluisterde ze.

'Papa en mama zijn er niet. En het is toch maar een spelletje,' stelde Roosa haar gerust.

'Oké,' fluisterde Lumikki onzeker.

'Ik ben zo vreselijk ongelukkig. Ik wil dood!' verkondigde Roosa.

'Waarom?'

'Nou, bijvoorbeeld omdat mijn vriendje het heeft uitgemaakt. Ik wil niet meer leven!' jammerde Roosa op dramatische toon, en ze zwaaide met het mes. 'Ik maak mezelf van kant!'

Toen richtte ze de punt van het mes op haar buik. In de lucht natuurlijk, op een veilige afstand van haar nachthemd.

Daarna ging alles heel snel. Roosa gleed uit over de aardbeienjam op de vloer. Ze viel voorover met in haar hand nog het mes, dat in haar buik zonk. Ze lag met haar gezicht naar beneden op de keukenvloer en kwam niet meer overeind. Lumikki rende naar haar toe en duwde tegen haar schouder. Roosa reageerde niet. Onder haar begon zich een rode plas te vormen.

'Dit is een stom spelletje,' zei Lumikki.

Roosa gaf geen antwoord.

'Zeg nou iets!' eiste Lumikki, en ze rolde Roosa met al haar kracht op haar rug.

Roosa's ogen waren open, maar ze keek Lumikki niet aan. Uit haar mondhoek sijpelde bloed.

Lumikki besefte dat er nu iets ernstig mis was.

Ze rende, rende, rende de trap op naar boven. Ze riep Jennika. Die zat op de wc. Jennika huilde en riep uit: 'Ik heb nog nooit zoveel van iemand gehouden als van jou!'

Lumikki bonkte op de wc-deur.

'Wat is er nou?' snauwde Jennika van achter de deur.

'Roosa. Roosa. Het is een stom spelletje.'

'Dan zeg je tegen haar dat jullie iets anders gaan spelen. Laat mij nou even een paar seconden met rust,' zei Jennika met een huilstem.

Lumikki moest ook huilen, maar de tranen wilden niet komen.

Ze rende naar het medicijnkastje in de slaapkamer van haar ouders en haalde daar een doosje pleisters uit. Als je bloedde, moest je een pleister plakken. Ze pakte de pleisters waar een plaatje van Minnie Mouse op stond. Die vond Roosa leuk.

Toen rende ze weer naar beneden. Roosa lag nog steeds op de vloer. Er was al veel bloed. Het mes stak uit haar buik. Het zag er verkeerd uit. Daar hoorde een mes niet. Lumikki probeerde het eruit te halen, maar dat lukte niet. Ze plakte pleisters rond het mes, maar die raakten meteen doorweekt van bloed. Roosa's witte nachthemd was helemaal bebloed. De pleisters hielpen niet. De au ging niet weg.

Het bloed was net zo glibberig als de aardbeienjam, maar dan warm in plaats van koud.

Eindelijk kwam Jennika snotterend en met rode ogen naar beneden. Op de drempel van de keuken bleef ze staan.

'Wat in godsnaam ...?'

'We speelden dood,' zei Lumikki. 'Het is een stom spelletje.'

Lumikki wist dat de herinnering echt was en geen verbeelding, noch het gevolg van het verdovingsmiddel. Precies zo was het gebeurd. En de herinnering verklaarde alle vreemde flarden uit het verleden en nacht-merries die Lumikki hadden geplaagd. Ze had een zus gehad, die was gestorven. Maar het was een ongeluk geweest. Ze was geen moordenares.

Was dat wat haar ouders dachten? Dachten ze dat Lumikki een mes uit de la had gepakt en dat in Roosa's buik had gestoken? Hadden ze daarom haar zus en alles wat er was gebeurd voor haar geheimgehouden? Lumikki moest met hen praten. En wel nu. Ze moest zich bevrijden uit de glazen kist.

Ze probeerde voorzichtig of het zware, krachteloze gevoel in haar armen en benen ook maar iets minder was geworden. Dat was het niet. Daarbij werd het steeds moeilijker om adem te halen. De zuurstof raakte op.

'Iedereen vond dat je zo klein was, dat je je niet bewust kon zijn van je daad. Het werd beschouwd als een ongeluk. Er gebeuren weleens ongelukken als gewone kinderen aan het spelen zijn. Maar welk gewoon kind zou niet meteen naar de oppas gaan om hulp te vragen? En volgens de verklaring van de kinderpsycholoog was je gesloten, boos zelfs. Je bleef maar herhalen hoe stom Roosa was. Toen ik je dossier las, keek ik diep in je ziel. Ik zag dat die net zo zwart is als de mijne. Zo zwart als ebbenhout. En op dat moment begon ik van je te houden.'

Nee, nee, nee.

Lumikki schudde in gedachten haar hoofd. Zo was het niet gegaan. Jennika had gelogen. Ze kon zich herinneren hoe dat haar toen al had verbaasd. Ze had de liegende Jennika gehaat, maar ook haar ouders, die niet thuis waren geweest, en Roosa, die dat spelletje had willen spelen dat uiteindelijk werkelijkheid werd. Ze had haar zus gehaat omdat ze was gestorven. Ze had Roosa gehaat, omdat ze zoveel van haar had gehouden en ze er opeens niet meer was.

Lumikki probeerde steeds spaarzamer te ademen. Door het zuurstofgebrek werd ze almaar duizeliger en begon haar zicht troebel te worden.

Zou de glazen kist dan toch haar doodskist worden?

Lumikki doorzocht haar kleren naar iets scherps wat ze als wapen kon gebruiken en waarmee ze zich kon bevrijden. Ze droeg geen riem, waarvan ze de gesp had kunnen gebruiken. Niet eens een haarspeld. Ze tastte met haar ene hand in haar broekzak. Iets van metaal. Iets kouds. Iets waarvan het oppervlak bijzonder vertrouwd aanvoelde tegen haar vingers. Haar eigen, hoogstpersoonlijke draak.

Die zat op een broche, en aan de broche zat een speld. Als ze nu eens met de speld een barst in het glas kon maken? Ze klemde haar vingers stevig rond de draak. Ze zocht het sluitmechanisme en maakte het open. De speld was scherp. Langzaam en voorzichtig haalde ze haar hand uit haar zak. De Schaduw bevond zich nu rechts van de glazen kist. Lumikki drukte de speld zo hard als ze kon tegen de linkerwand en trok.

De dunne speld gaf mee. Hij boog om en werd onbruikbaar.

Tranen van angst en frustratie welden op in Lumikki's ogen.

Ze zou nooit uit de glazen kist ontsnappen.

*Misschien vraag je je af, waarom nu juist jij.*

*Omdat jij bijzonder bent, mijn liefste Lumikki. In jou huist zowel het licht als het duister. Je bent anders dan anderen. Ik heb nooit iemand gezien die sterker is dan jij, hoewel je tegelijkertijd zo broos en kwetsbaar bent. Je bent niet bang om alleen te zijn. Je weet dat anderen jouw gezelschap niet helemaal waard zijn. Je bent veelzijdig en complex. Je hebt lagen die vele anderen nooit zullen hebben.*

*Je hebt verdriet en woede gekend. Je bent niet uitsluitend goed.*

*Ik weet dat we elkaar als gelijken zouden ontmoeten, want door ons allebei stroomt zwart bloed, waardoor anderen ons niet begrijpen.*

*Toen ik jou voor het eerst zag, wist ik het meteen. Dat is al jaren geleden. Toen wist je nog niet hoe grondig en helder ik je zag. Ik was zojuist verlaten door iemand die mij niet begreep en mijn gedachten en diepste binnenste niet kon waarderen. Na haar vertrek dacht ik dat ik nooit iemand als ikzelf zou vinden.*

*Toen kwam jij.*

*Je kwam als een stille storm. Anderen zagen jouw kracht niet, maar ik voelde de wind en zag de donderwolken en bliksemschichten en die hele pracht en schoonheid die alleen onweersstormen bezitten.*

*Riders on the storm.*

*Dat zijn wij. Stormridders. De wetten en normen van deze wereld en deze maatschappij gelden niet voor ons, want wij zijn uitzonderlijke individuen.*

*Ik ben zo blij dat je straks van mij zult zijn. Van mij alleen.*

# 17

*I was looking for a breath of life*
*A little touch of heavenly light*
*But all the choirs in my head sang*
*No oh oh oh*

Lumikki dacht dat haar hart stil bleef staan toen 'Breath of Life' van Florence + the Machine door de zaal schalde.

'Dit is toch je favoriet? Kijk maar niet zo verbaasd, mijn liefste. Ik zei toch dat ik iedere stap van je heb gevolgd. Ik weet naar welke muziek je luistert. En ik vond dit wel bij de situatie passen. Je verlangt naar adem, zuurstof, lucht die je kan redden. Die krijg je zo meteen. Ik moet alleen eerst controleren of je echt van me houdt en begrijpt dat wij bij elkaar horen.'

De stem van de Schaduw was iets nerveuzer geworden. Lumikki's hersenen wilden hem nog steeds niet herkennen. Ze kon hem niet in het juiste hokje plaatsen en er het bijbehorende naamplaatje op plakken.

Wie was die gek? En wat was hij met Lumikki van plan?

Lumikki wist dat ze niet gewoon kon liggen wachten en toekijken. Ze moest iets doen.

*It's a harder way and it's come to claim her*
*And I always say, we should be together*
*And I can see below, 'cause there's something in here*
*And if you are gone, I will not belong here*
*(belong, belong, belong)*

Ze voelde nog steeds de schubben van de draak in haar handpalm. Het troostte haar het sieraad in haar hand te voelen, ook al was de speld verbogen. Ze streelde met haar vinger over de draak, over zijn kop en zijn oren, over de vleugels die langs zijn rug rustten, over zijn staart, die eindigde in een scherpe punt. Zo scherp, dat hij pijn deed aan Lumikki's vinger.

Het uiteinde van zijn staart. Dat was onmiskenbaar steviger en harder dan de speld.

Lumikki bracht haar versnelde hartslag tot bedaren. Ze moest kalm blijven. Hoe sneller haar hart klopte, hoe meer zuurstof ze nodig zou hebben. En die was er nu niet. Hypoxie. De conditie waarbij het lichaam niet genoeg zuurstof krijgt. Lumikki verbood zichzelf te denken aan de gevolgen daarvan, en hoe snel die zich zouden openbaren.

Ze drukte het uiteinde van de drakenstaart tegen het glas, verzamelde al haar krachten en trok. Ze voelde het metaal in het glas zakken. Ze zou een kras veroorzaken. Hoe diep? Diep genoeg om het glas te verzwakken?

Ze wist dat ze maar één kans had. Het moest in één keer lukken.

Het sieraad maakte een kerf in het glas. Lumikki's hand trilde toen ze de draak weer in haar zak stopte. Ze nam even de tijd om op krachten te komen. Ze moest nog even volhouden. De zuurstof moest nog even toereikend zijn.

*And I started to hear it again*
*But this time it wasn't the end*
*And the room is so quiet, oh oh oh oh*
*And my heart is a hollow plain*
*For the devil to dance again*
*And the room is too quiet, oh oh oh oh*

Lumikki zoog alle zuurstof op die er nog was in de glazen kist. Toen beukte ze zo hard ze kon met haar elleboog tegen de kerf die ze zojuist had gemaakt in het glas. Dat deed zo'n pijn aan haar elleboog dat het haar even zwart voor de ogen werd.

Maar het glas viel rinkelend kapot. De zijkant van de kist spatte in scherven uiteen, en met haar armen voor haar gezicht rolde Lumikki uit de kist. De scherpe, afgebroken glasranden sneden in haar kleren en haar armen. Glassplinters drongen haar huid binnen. Het kon Lumikki niets schelen.

In een seconde was de Schaduw bij haar. Ze had niet anders verwacht.

'Ik had ook kunnen weten dat je niet het geduld had om …' zei de Schaduw terwijl hij zich over Lumikki heen boog.

Lumikki raakte hem met haar elleboog vol op zijn neus, en toen hij zich kermend van pijn oprichtte, kon Lumikki net genoeg omhoog komen om hem met haar andere elleboog tussen zijn benen te raken.

Dat werkte. De Schaduw klapte jammerend dubbel.

Lumikki rolde naar de rand van het podium en daarvandaan naar beneden. Ze probeerde zo zacht mogelijk te landen, maar toch deed de harde vloer haar zeer. Haar benen voelden nog steeds als twee zware loden balken. Ze wist dat ze niet op haar benen zou kunnen staan. Nog niet, in ieder geval. Ze begon zich met haar armen over de vloer voort te trekken.

Snel wegvluchten. Zich verstoppen. Maar waar?

Naast de zaal was het lokaal van Fins. Daar sleepte Lumikki zich naartoe. Ze kwam tergend langzaam vooruit. Haar ellebogen deden pijn. Het leek alsof de glasscherven steeds dieper in haar huid drongen.

Ergens achter zich hoorde ze de Schaduw steunen. Hij zou zich gauw herstellen van de slagen. Met een paar grote passen zou hij bij haar zijn.

De deur van het lokaal stond op een kier. Lumikki hoorde de schaduw al in beweging komen. Ze duwde de deur open met haar hand, sleepte zich naar binnen, wist zich genoeg op te richten om de deurkruk aan de binnenkant vast te pakken, en duwde de deur dicht. Op hetzelfde moment voelde ze hoe de Schaduw aan de deurkruk aan de andere kant rukte. Ze verbeet de pijn en rekte zich uit om met haar ene hand de deur op slot te draaien.

Toen waren haar krachten uitgeput en zakte ze hijgend met haar rug tegen de deur ineen.

'Lumikki toch. Mijn kleine Lumikki,' lachte de Schaduw van achter de deur. 'Dacht je dan echt dat ik geen sleutel zou hebben? Natuurlijk heb ik die. Wacht even, dan haal ik hem uit de kleedkamer. Dan kunnen we in alle rust verder praten.'

Opnieuw kreeg Lumikki het gevoel dat ze stikte.

# 18

Doodsangst een merkwaardig fenomeen. Het overlevingsinstinct pompte alle spieren vol kracht die ze normaal gesproken niet bezaten. Plotseling gehoorzaamden Lumikki's armen en benen weer. Haar hersenen gaven haar spieren zulke snelle bevelen dat ze er niet eens aan toekwam om haar strategie tot gedachten uit te werken. Ze handelde alleen maar.

Zo veel mogelijk tafels en stoelen voor de deur. Die zouden hem even tegenhouden. Alle losse voorwerpen waarmee ze kon gooien binnen handbereik. Het raam open.

Een sleutel werd omgedraaid in het slot.

'Help!' schreeuwde Lumikki zo hard ze kon uit het raam.

Ze zag buiten niemand. Maar in het park moesten toch wel mensen zijn, die de hond uitlieten of op weg waren naar het centrum of naar de nabijgelegen bibliotheek?

De deur werd langzaam op een kier opengeduwd. De poten van de stoelen en tafeltjes piepten over de vloer toen ze verschoven werden.

'Je hebt obstakels tussen ons geplaatst, mijn liefste. En ik dacht nog wel dat alle obstakels al verwijderd waren.'

Kreunend van inspanning wist de Schaduw de deur open te krijgen. Er vielen een paar tafeltjes en stoelen om. Het kabaal weerklonk in het lokaal en op de gang.

'Help!' riep Lumikki weer.

Buiten sneeuwde het. Dwarrelende, zachte, witte vlokken. De eerste echte, mooie sneeuwbui die winter.

'Niemand hoort je toch,' beweerde de Schaduw.

Toch klonk in zijn stem onzekerheid door. Dat gaf Lumikki's trillende lijf nieuwe kracht. De Schaduw wurmde zich het klaslokaal in, maar deed het licht niet aan. Hij wilde opgaan in de duisternis.

Maar op dat moment herkende Lumikki hem. De mistslierten in haar hoofd begonnen op te lossen, en ze wist wie haar stalker was.

Henrik Virta. De psychologieleraar.

Het besef bracht een schok bij haar teweeg. Hoe kon Virta zo veel informatie over haar bezitten? En hoe kon een leraar die altijd zo meelevend en vriendelijk overkwam zo gestoord en wreed zijn? Lumikki had geen tijd om uitgebreid over die vragen na te denken, want Virta baande zich woedend een weg door de tafeltjes en stoelen.

'Verdomme, sadiste die je bent!' schreeuwde hij. 'Waarom doe je mij dit aan? Ik wil je alleen maar liefhebben en beschermen! In veiligheid brengen, weg van alle kwaad. Wij zijn zielsverwanten, jij en ik.'

Lumikki greep een nietmachine en gooide die met volle kracht naar Virta. Hij wist het ding op het nippertje te ontwijken, en het knalde tegen de muur.

'Mis poes!' zei hij op tevreden toon.

'Net als jouw psychologische analyse,' kon Lumikki niet laten terug te werpen. 'Wij hebben helemaal niets gemeen. Je hebt mij nooit gekend en je zult me ook nooit kennen. En dit is geen liefde. Dit is alleen maar een zieke obsessie.'

Lumikki's angst was op slag verdwenen toen ze Virta had herkend en had ingezien dat hij helemaal niet haar diepste gedachten en gevoelens had gelezen. Lumikki's binnenste, haar kern, was buiten zijn bereik. Die zou hij nooit raken.

'Als ik je niet kan krijgen, krijgt niemand je.'

Virta's stem was zacht en laag geworden. Lumikki wist dat hij het meende. Als hij bij haar kon komen, zou hij haar doden.

Een perforator. Lumikki gooide hem naar Virta. Deze keer wist hij de aanval niet goed te ontwijken en de scherpe rand van de perforator raakte zijn slaap. Virta voelde verbaasd aan zijn gezicht.

'Nu is het niet alleen mijn hart dat bloedt,' fluisterde hij.

Zijn dramatische toon maakte Lumikki misselijk. Het was alsof hij dacht dat hij in een of ander toneelstuk stond en de somberste en meest idiote replieken had.

'Help!' schreeuwde Lumikki nog een keer, nu al met schorre stem.

Virta duwde het laatste tafeltje uit de weg. Met een paar sprongen was hij bij haar.

'Je zult me niet ontkomen,' gromde hij. 'Ik snap niet waarom je je niet gewoon overgeeft.'

Nooit, dacht Lumikki, en ze ging op de vensterbank staan.

'Wat doe je?'

Virta's stem klonk plots geschrokken.

Lumikki ging zitten en schoof langzaam naar de rand. Vervolgens liet ze zich zakken tot ze aan het koude kozijn hing. Ze wierp een blik omlaag. Het was een lange val. Te lang. Maar ze had geen keus.

'Ben je gek of zo?' riep Virta uit.

'Jij bent hier de gek,' antwoordde Lumikki.

Ze voelde nog net Virta's handen op haar vingertoppen, maar toen had ze al losgelaten en was ze tussen de sneeuwvlokken op weg naar de grond. Ze probeerde haar lichaam zo ontspannen mogelijk te houden toen ze het schoolplein raakte.

Toen ze op haar rug in de verse sneeuw lag, was ze heel even verbaasd dat het helemaal geen pijn deed. De sneeuwvlokken dansten een perfect menuet rond haar gezicht en smolten op haar wangen.

Toen kwam de pijn.

# 28 DECEMBER
## DONDERDAG
## TWEE WEKEN LATER

# 19

Eerst bewoog Lumikki alleen haar armen. Met langzame, lange en rustige bewegingen, haar armen gestrekt, tot vlak bij haar oren, en dan weer terug, bijna tot aan haar zij. De sneeuw was donzig en zacht en liet zich moeiteloos verplaatsen. Toen herinnerde ze zich dat ze ook haar benen hoorde te bewegen.

Het was zo lang geleden dat ze dit voor het laatst had gedaan. Toen ze nog klein was. Voor ze op school zat? Waarschijnlijk wel. In haar schooljaren hadden pestkoppen haar zo vaak in de sneeuwhopen langs de weg gegooid dat ze absoluut geen zin meer had om vrijwillig in de sneeuw te gaan liggen.

Een sneeuwengel.

Het was een mooi woord, al betekende het uiteindelijk niet meer dan een afdruk die haar lichaam zou achterlaten in de sneeuw. Vleugels, die de beweging van haar armen had gevormd.

Een sneeuwengel. Die had Lumikki ooit ook met Roosa gemaakt, de hele tuin vol. Voor het slapengaan had Roosa Lumikki een verhaaltje verteld over een zwerm engelen die 's nachts in de tuin neerstreek om daar te slapen, omdat er voor ieder van hen een eigen plekje was gemaakt. Roosa had gezegd dat ze wakker zou blijven tot ze de stralende wezens zag aankomen. Lumikki had haar zus laten zweren haar wakker te maken als het zover was. Dat had Roosa beloofd, en ze had Lumikki's hand vastgepakt. En zo was Lumikki in slaap gevallen, met haar hand in de zachte greep van Roosa's warme hand.

De tranen stroomden uit Lumikki's ooghoeken omlaag naar haar oren.

Iedere dag herinnerde ze zich meer. Alsof er in haar een kast zat met daarin een enorm aantal laden. Een voor een gingen ze open. Al die laden die jarenlang op slot hadden gezeten.

Er was eens een geheim meisje.

Er was eens een meisje dat niet bestond.

Nu was Roosa geen geheim meer. En ook al was ze dood, toch bestond ze in herinneringen en op foto's en in verhalen. Ze werd niet meer uitgewist alsof ze er nooit was geweest. Lumikki kon nog steeds maar moeilijk bevatten dat het hele bestaan van haar zus voor haar verzwegen was. Dat was bizar en verschrikkelijk. Ze zou de keuze van haar ouders nooit kunnen accepteren.

Zij hadden hun beslissing genomen in shock, buiten zichzelf van verdriet en ontsteltenis. Lumikki's ouders hadden echt geloofd dat zij Roosa had doodgestoken. Per ongeluk, dat wel, misschien, terwijl ze een spelletje speelden. Dat werd bevestigd door Jennika's verklaring, en ook de kinderpsychologen kregen niets uit Lumikki los waaruit zou blijken dat zij haar zus niet had omgebracht. Naar verluidt had Lumikki alleen maar verteld dat ze 'dood speelden'.

Lumikki's ouders hadden gedacht dat die schuld een te zware last zou zijn voor een kind. Daarom was het beter om te doen alsof dat hele deel van het verleden nooit had plaatsgevonden. Lumikki bedacht dat het voornamelijk had gedraaid om het eigen onvermogen van haar ouders om hun verlies onder ogen te zien. Ze waren hun dochter kwijtgeraakt. Het was gemakkelijker om te doen alsof ze die dochter nooit hadden gehad. Ze wilden de waarheid eenvoudigweg niet erkennen, omdat die te zwaar was.

En dus hadden ze in feite een nieuw gezin geschapen, met één kind. Ze hadden bijna alle sporen van Roosa uitgewist. Alleen de foto's hadden ze bewaard in het kistje dat vroeger de schatkist van de meisjes was geweest. Ze waren weggegaan uit Turku. Daarnaast hadden ze alle familieleden laten zweren nooit een woord over Roosa te spreken. Een belofte van geheimhouding. Een gezin van stilzwijgendheid. Het was niet te bevatten dat het was gelukt. In het begin had Lumikki nog vragen gesteld over haar zus, maar toen ze geen antwoord kreeg of simpelweg

te horen kreeg dat ze nooit een zus had gehad, was ze daarmee opge-
houden. Haar ouders hadden gedacht dat ze het zou vergeten, omdat
kleine kinderen dingen zo gemakkelijk vergeten. In zekere zin was dat
ook gebeurd, voor lange tijd.

Maar het verleden kon niet helemaal uitgewist worden. Alles laat
zijn sporen achter in een mens.

Het verwerkingsproces had haar vader een tijdlang arbeidsonge-
schikt gemaakt. Hij was in zijn eentje naar Praag gegaan en had zich
daar afgevraagd hoe hij nu verder moest. Haar ouders hadden overwo-
gen te scheiden. Dat alles had Lumikki nu achteraf te horen gekregen.
Ook financieel was het gezin aan de grond komen te zitten en daardoor konden ze het zich niet meer veroorloven in een even mooi en
groot huis te wonen als vroeger in Turku. Ze waren een gezin geworden waarin over belangrijke dingen niet hardop gesproken werd. Ze
hielden alleen nog maar de schijn op een gezin te zijn.

Kerstavond, vier dagen eerder.

Lumikki zat op de bank en keek naar de schouw. Daar stond nu,
naast een foto van de ene dochter, ook een foto van de andere, en bovendien een van hen samen. Zoals er altijd al had moeten staan. Haar
moeder bracht haar een beker glühwein. Ze hadden zojuist het kerst-
diner gehad.

Aarzelend, voorzichtig raakte Lumikki's moeder haar haar aan. Die
aanraking vertelde meer dan welke lange monoloog ook. De aanraking
was een verontschuldiging voor alle jaren waarin haar moeder niet echt
een moeder voor haar had kunnen zijn.

*Stille nacht, heilige nacht,*
*Alles slaapt, sluimert zacht.*
*Eenzaam waakt het hoogheilige paar,*
*Lieflijk Kindje met goud in het haar,*
*Sluimert in hemelse rust*
*Sluimert in hemelse rust.*

Haar vader neuriede zachtjes met het lied mee. Lumikki zag hoe de tranen over zijn wangen biggelden. Ze realiseerde zich dat ze haar vader nooit eerder had zien huilen. Althans, niet voor zover ze zich kon herinneren. Misschien zou er nog een tijd komen waarin Lumikki op dit soort momenten kon opstaan, naar haar vader in zijn leunstoel kon lopen en hem lang en troostend kon omhelzen, zonder dat dat raar voelde. Zo ver was het nog niet.

Ze waren nog steeds een stille, zwijgzame familie. Het stilzwijgen van vele jaren kon niet in een paar weken tenietgedaan worden. Maar de stilte had nu wel een volkomen andere sfeer, rustiger en oprechter, niet langer drukkend en verstikkend. Deze stilte blokkeerde je mond niet en kneep je keel niet dicht, maar liet je ademen, en midden in de stilte kon je je op je gemak voelen en erop vertrouwen dat de woorden wel zouden komen, als de tijd rijp was.

Toen Lumikki uit het raam was gevallen, was er gelukkig net een late hondenuitlater langsgelopen. Die had meteen een ambulance gebeld. Lumikki was met spoed naar het ziekenhuis gebracht, en ze was er verrassend goed vanaf gekomen, met blauwe plekken en verstuikingen, maar zonder botbreuken. Ze had een week lang een halskraag moeten dragen, maar dat viel mee.

Toen haar ouders naar het ziekenhuis waren gekomen, had Lumikki hun alles verteld. Een golf van opluchting was door de steriele ziekenhuiskamer getrokken toen haar ouders hadden ingezien dat Roosa's dood dan toch een ongeluk was geweest. Ze hadden ook contact opgenomen met Jennika, die na al die jaren ook opgelucht was dat ze eindelijk de waarheid kon vertellen. De leugen was ook voor haar een zware last geweest.

Roosa's dood was een tragisch ongeluk geweest waaraan niemand schuldig was. Zich afvragen 'wat als' zou haar niet terugbrengen. Iedereen die bij de tragedie betrokken was, was gebaat bij begrip en acceptatie van de gebeurtenissen. Stukje bij beetje, stap voor stap konden ze het verborgen verleden tot een deel van hun leven en van zichzelf maken.

Lumikki proefde de kruiden in haar warme, zoete glühwein. Kaneel, kruidnagel, gember. Ze keek naar de langzame, dromerige beweging van de strooien mobile aan het plafond. Buiten vielen witte sneeuwvlokken. Straks zou de cd met kerstliedjes afgelopen zijn en was het tijd om te gaan slapen.

Lumikki was er zeker van dat ze voor het eerst in lange, lange tijd diep zou slapen, zonder nachtmerries, volkomen veilig.

Lumikki was nog altijd bezig met haar sneeuwengel, maakte de vleugels nog beter zichtbaar. Ze dacht aan Virta.

De Schaduw. De Stalker. Een gestoorde man met een hevige obsessie, waarvan de volledige omvang pas aan het licht was gekomen nadat hij was gepakt. Toen Lumikki uit het raam was gevallen, was Virta de school ontvlucht en naar huis gegaan. Een paar uur later was de politie de woning binnengevallen. Agenten hadden Virta bewusteloos op bed aangetroffen. Hij had een overdosis slaapmiddelen genomen, maar men had hem weten te redden.

Aanvankelijk werd bij Virta thuis niets belastends aangetroffen, maar toen bleek dat hij in zijn opslagruimte op zolder, een hok met wanden van kippengaas, een 'Lumikki-kamer' voor zichzelf had ingericht. Hij had het gaas van binnen bekleed met karton, zodat niemand het hok in kon kijken.

Toen de politie Virta eindelijk had kunnen verhoren, was gebleken dat zijn obsessie met Lumikki al enkele jaren eerder was ontstaan, toen Lumikki op de school was begonnen. Virta's vriendin, met wie hij lang samen was geweest, had hem onverwacht verlaten, en zijn geestelijke gezondheid was gaan wankelen. Lumikki was hem opgevallen omdat ze anders was dan de andere scholieren, en hij was verliefd geworden. Hij was informatie over haar gaan verzamelen.

Virta was ongelooflijk geduldig, volhardend en slinks geweest. Hij had gesproken met mensen die Lumikki op haar vorige school hadden gekend. Via een paar oude klasgenootjes was hij erachter gekomen dat Lumikki op school was gepest. Vervolgens was hij op zoek gegaan naar de namen van de pesters en de ernst van het pesten. Virta wist hoe hij

indruk moest maken op mensen: hij was kalm, charismatisch en geloofwaardig. Soms deed hij zich voor als zichzelf, soms als journalist,
dan weer als Lumikki's klassenmentor of therapeut. Mensen hadden
hem vertrouwd.

Hij had opgezocht wie Lumikki's familieleden waren. Na een avondje
in de kroeg had Lumikki's oom van vaderskant, Mats Andersson, eindelijk onthuld dat Lumikki een oudere zus had gehad, die was gestorven. Virta had al zijn kunsten en contacten benut en was er uiteindelijk
in geslaagd het politierapport over Roosa's dood in handen te krijgen.

Er zijn altijd mensen die andere mensen kennen. Finland is een
klein land. Als je iets wilde weten, hoefde je alleen maar doelgericht en
gehaaid genoeg te zijn. Virta was een echte psychopaat, die zijn intelli-
gentie en charisma wist te benutten om zijn doel te bereiken, hoelang
het ook zou duren.

Toen Lumikki verkering had gekregen, was Virta in actie gekomen.
De obsessie had enorme proporties aangenomen. Virta had een gren-
zeloze behoefte gekregen om Lumikki voor zichzelf alleen te krijgen,
het koste wat het kost. Hij wilde alles over haar weten, haar bezitten,
door middel van zijn kennis over haar heersen. Ook dat hoorde bij zijn
zieke machtsspelletje.

Hij had haar bespioneerd. Hij had haar gevolgd. Geschaduwd. Hij
had ervoor gezorgd dat geen enkele beweging van Lumikki hem ont-
ging. Op het toppunt van zijn stoutmoedigheid was hij met Lumikki's
ouders gaan praten. Hij had verteld dat hij op de school ook werkzaam
was als schoolpsycholoog en dat Lumikki een paar keer bij hem was
geweest om over haar sombere gedachten te praten. Virta had Lumikki's ouders bezworen niets over zijn bezoek tegen Lumikki te zeggen.
Tijdens datzelfde bezoek had hij ook de sleutel van het kistje met de
foto's gestolen, waarvan Mats Andersson had verteld waar hij lag.

Lumikki wist niet eens alles wat Virta had gedaan. Ze wilde het ook
niet weten. Het belangrijkste was dat hij nu vastzat en haar niet meer
lastig kon vallen.

De première van *De zwarte appel* werd opgeschort, maar het toneelstuk werd wel opgevoerd, een dag voor de kerstvakantie begon. Lumikki had gewild dat het ondanks alles door zou gaan. Ze speelde met de halskraag om, en uiteindelijk overtrof het stuk ieders verwachtingen.

Het was een belangrijke avond voor Lumikki. Het deed haar goed om te zien dat de schrikbeelden die Virta had geschetst geen waarheid zouden worden. Ze waren alleen maar zieke fantasieën, en dat zouden ze gelukkig altijd blijven.

Lumikki voelde de kou nog niet op haar rug. Nog niet. Ze besloot even te blijven liggen en naar de heldere sterrenhemel te kijken, die zich donker en hoog boven haar welfde, vol met lichtpuntjes.

Ze geloofde niet dat mensen na hun dood engelen werden. Ze beeldde zich niet in dat Roosa haar van ergens ver weg bekeek en over haar leven waakte. Ze kon zich moeilijk voorstellen dat er leven na de dood was, in ieder geval niet in eenzelfde vorm als dit huidige leven.

Die gedachte gaf haar geen naar of verdrietig gevoel. Zo was het gewoon. Een mensenleven had een bepaalde duur, een begin en een einde. Daartussen kon wonderbaarlijk veel gebeuren. Iedere ademtocht bevatte meer dan je je kon voorstellen.

Lumikki wist dat ze nu hand in hand met Sampsa in de sneeuw had kunnen liggen, als ze anders had besloten.

En als ze weer anders had besloten, had ze nu hand in hand met Vlam in de sneeuw kunnen liggen.

Lumikki's handen waren leeg. Ze was alleen.

Ze had Sampsa moeten vertellen dat ze niet met hem verder kon. Ze was echt dol op hem geweest, ze had zich goed gevoeld bij hem en op een bepaalde manier had ze ook van hem gehouden. Maar Sampsa had nooit diep in haar gedachten kunnen kijken en de schaduwen in haar bos kunnen zien. Dat kon hij niet, omdat hij die zelf niet had. Zijn wereld was anders, lichter.

Ze had ook Vlam moeten vertellen dat ze niet opnieuw iets met hem kon beginnen. Van hem had ze gehouden, en in feite hield ze nog steeds van hem, met heel haar hart en vol vuur. Vlam zag haar helemaal, elk aspect van haar. Maar hij kon haar ook zo hartverscheurend pijn doen dat ze zich niet meer kon overgeven aan zo'n groot gevaar.

De voornaamste reden waarom Lumikki zowel Sampsa als Vlam vaarwel had moeten zeggen, was dat ze uiteindelijk toch geen van beiden volledig vertrouwde. Ze had hen er allebei van verdacht de stalker te zijn. Ook al was het maar een vluchtig moment geweest in het pretpark en ook al waren haar twijfels daarna natuurlijk verdwenen. Toch wist ze daardoor dat ze hen niet blind vertrouwde. Hoe kon ze met zo iemand samen zijn, diegene recht in de ogen kijken? Iemand van wie ze had gedacht, al was het maar een heel kort moment van twijfel, dat hij in staat was tot zulke slechte en wrede daden? Niemand zou samen hoeven te zijn met iemand die zo over hem had gedacht.

De tranen bleven komen. Lumikki liet ze ongehinderd stromen.

Ze huilde om meerdere redenen tegelijk.

Ze huilde om haar overleden zus, om wie ze al die jaren niet had kunnen rouwen.

Ze huilde om haar familie, die nooit het warme, zorgeloze en hechte thuis zou zijn dat een familie op haar best is.

Ze huilde omdat ze het geluk en de liefde had moeten opgeven.

Ze huilde omdat ze alleen was.

Opeens leek de sterrenhemel dichterbij te zijn. Het licht van de verre zonnen twinkelde feller en troostrijker. Het universum was gigantisch. Lumikki huilde niet meer. Ze voelde zich plotseling beter. Ze was zo ontzettend klein in het grote geheel. In dit universum was uiteindelijk iedereen alleen, en toch was ook niemand alleen. Alles bestond uit dezelfde elementen. Lumikki was net zo sterk en zwak als de kristallen en de stenen, de golven en het riet, het gras en de rottende bladeren, de hete kern van de zon en de kou van het heelal.

Ze was net zo gelaagd en rijk als honderden jaren oude sprookjes. Die al waren begonnen ver voor de woorden 'er was eens' en nog lang doorgingen na 'en ze leefden nog lang en gelukkig'. Want eigenlijk was niets eenmalig. Alle verhalen werden vele malen herhaald, steeds in een andere vorm. En niemand leefde lang en gelukkig. Of ongelukkig. Iedereen leefde zowel gelukkig als ongelukkig, afwisselend het ene en het andere, en soms allebei tegelijk.

Dit was Lumikki's universum. In de duisternis en het licht ervan was ruimte voor hartstocht en angst, wanhoop en vreugde. De lucht ervan vulde haar longen en maakte haar sterk. In de schoot van de sterrenhemel werd Lumikki steeds completer. Ze werd meer zichzelf. Ze was vrij. Ze drukte haar handen tegen de besneeuwde grond en wilde dat ze een deel van de verse sneeuwvlokken kon worden, ermee kon samensmelten en zich bij de andere sneeuwvlokken kon voegen.

Een zachte, nachtelijke wind blies door het park, bewoog de zwarte takken en hun schaduwen op de sneeuw.

Om Lumikki heen zuchtte en klopte alles in de wereld in het ritme van dezelfde hartslag. Haar hartslag.